あなたの年金が倍、倍に!

ネットで勝ち抜く

株投資法

元東京工業大学教授

増田正美

亜紀書房

あなたの年金が倍、倍に!

ネットで勝ち抜く

株投資法

元東京工業大学教授

増田正美

亜紀書房

はじめに
初級者向けのテクニカル手法

個人投資家の目線

本書はシニアの方向けとして企画しておりますが、「シニアとは」となると、その解釈はなかなか難しいものです。今日では「団塊の世代」がシニアを迎えるし、私のような「グランド・シニア」もいるわけですから。

堺屋太一氏に言わせると、団塊の世代の特徴は、戦争と物資不足を知らない世代、経済成長を疑わなかった世代、先輩世代が作り上げた組織の中で働いた世代、ということのようです。つまり、「団塊の世代は景気のよいときに就職し、賃金も右肩上がり、終身雇用も保証されていて、働けば給与があがる、いわば生産世代と位置づけることができる世代だ」としています。団塊の世代が過ごしたのは華やかな時代だったわけです。

これに反して、私のような昭和初期生まれのグランド・シニアは、戦争のさなかに少年時代あるいは青春を過ごし、戦後の食えない時代を生きてきたゆえに、食べることの意味が骨身にしみている世代です。つまり暗い時代をくぐり抜けてきました。

この両極端を１つに括って、シニアビギナーのための株式入門書を書くのは無理と言うものです。

どうすればよいかと考えました。まず私の脳裏に浮かぶのは、私のMM法(私の開発した株取引手法)のセミナーに来られる、いわゆるシニアの方を想像しました。その中でも、「これはボケ防止だ」

と言われる方から、利益追求に意欲満々の方などシニアと言ってもさまざまで、本書執筆に先入観を持ってはならないというのが私の覚悟でした。

そこで、本書の趣旨は、私が個人投資家として長期間やってきた株取引の経験を淡々と述べようというものです。しかも私はプロではありません。個人投資家の一人で皆様とは目線が同じです。使う資金力も、発想もすべてが同じレベルであろうと思われます。その枠の中での経験で本書を書いたと考えていただいて結構かと思います。

年金不足を補う

私が株取引を始めたのは、60歳の定年後です。株取引を始めた理由など、すでに各種の出版物、また講演会などで申し上げてきておりますが、要は年金の不足を補填しようというのが目的でした。自分のことを申し上げて恐縮ですが、私も国家公務員として定年まで仕事一途でした。定年後の年金額がどのくらいになるのかすら、知りませんでした。「これほど公務員として国家に奉仕し、毎月相当額の長期掛け金（年金向け）を取られてきたのだから、年金額もそれ相応だろう」と多寡をくくっていたのが失敗でした。支給された年金額は、私の思い描いたものとは相当異なるものでした。「食うことだけはできるな、だが夢は持てないな」というのが実感でした。

何とかしなければならない、人はパンのみでは生きられない、という思いが沸々と湧きました。

日経新聞2005年1月9日には、第1面で「シニア世代、本社意識調査」として、「年金だけでは暮らせぬ」と報じています。その内容は、現在60歳以上のシニアの年金額は、月20万～25万円が30％と最多だが、そのうち家計が「黒字」の世帯は32％にとどまる。現在のシニア世代は比較的給付が手厚いが、それでも蓄えを取り崩すなどしているのが現状だ。しかし、40、50代は現在のシニアに比べて給付水準が下がる見通しだ。この現役世代の51%が「年金だけでは生活費がまかなえない」と予測している。年金制度は昨年（2004年）「安心」をうたって改革法が成立したが、不信感は根強い、と報じています。

「年金だけで暮らせぬ」65%

シニア世代
本社意識調査

六十、七十代の六五%が「年金だけでは生活費が足りない」と感じている――。日本経済新聞社が全国の四十―七十九歳の男女約千人を対象に実施した年金に関する意識調査で、現役のころより切りつめて暮らす必要がある受給者の実態が浮かび上がった。（関連記事6、7面に）

調査では、六十歳以上のシニア世代の年金額（世帯合計）は「月二十万―二十五万円未満」が三〇%と最多。家計が「黒字」の世帯は三二%にとどまる。現在のシニア世代は比較的給付が手厚いが、それでも蓄えを取り崩すなどしている現状がうかがえる。

制度への不信根強く

四十、五十代は現在のシニアに比べ給付水準が下がる見通しだ。この現役世代では五一%が「年金だけでは生活費がまかなえない」と予測。ところが老後を意識した資産形成の「計画がある」のは二八%にとどまり、準備不足は否めない。

年金制度は昨年、「安心」をうたった改革法が成立したが、不信感は根強い。両世代を通じ「年金があてにならない」との回答が七割を超え、財政悪化の原因では保険料の無駄遣いを指摘する声が目立った。調査は昨年十二月上旬、四十―五十九歳、六十―七十九歳それぞれ約五百人にインターネットで実施した。

日本経済新聞（2005年1月9日）

これを見ると私の実感は私だけのものではなかったのが判ります。

失敗から学んだ手法

私は定年後すぐに定年同期の友人と法人を立ち上げ、日米間のハイテク・ビジネスを始めました。仕事はうまくレールに乗りましたが、強い要請もあり私立大学に移りました。しかし、私の専門とは異なる分野に所属し、そこで何の気もなく金融工学に興味を持ったのが、株の世界にはまりこんだそもそもの理由だったように思います。

このような背景がありますから、私は最初から株というものを博打とは思いませんでした。また前述の金融工学と言い、その後の調査と若干の研究から「これはいけるぞ」という実感を持ったのも事実です。それでも、私は数年間の予備調査をして、その後ぼちぼち株取引を始めました。株の世界のみならず、いわゆるビギナーズ・ラックというのがあります。つまり始めた頃は調子がいいのです。すぐにそれにのめりこみ、大きな痛手を被ると言われます。私の場合もまさしくこれでした。相当の損失を被りました。今となるとこの損失は授業料であったと言えますが、これも悔し紛れの言い訳かもしれません。しかし、幸運にもこれらを克服し現在に至っております。

私の成果を見て、またその手法が「今まで見たこともない」と証券界の友人が出版を勧めてくれ、この友人のおかげで出した最初の本『60にして株を知る』はよく売れました。その後全国のセミナーなどに誘われ、私の提案する株取引手法が人に知られるようになりました。

本書出版企画の源泉もそれらだといってもよいかと思います。

本書の目的は、初めて株取引を始めようかとお考えの、また始めたがうまく行かないとお嘆きのシニア向けです。前記の、打ちのめされた取引初期の経験、その後の喜ばしい回復の様子などもお伝えし、どうすればよいのか、どのようにして利益を出すのか、などを同じ個人投資家の目線で進めていきたいと思います。

シニアは生きた時代から、また受けた教育から、このインターネット時代における株取引においては相当なハンディキャップを背負っています。インターネット取引がよいといっても、避けられないパソコンの問題をどう克服するのか、それらをお伝えすることも含んでおります。

また、私の取引手法、後でご説明するテクニカル手法ですが、これをMM法と名付け個人投資家の皆様に紹介しております。本書も最終的にはこの手法の一部をご紹介しますが、MM法を個人投資家に使っていただきたい目的で、MM倶楽部を立ち上げ、インターネット上でのホームページも開いて今日に至っております。ご興味があればご覧ください。

《http://www.mm-club.net/》

あなたの年金が倍、倍に!
ネットで勝ち抜く株投資法

CONTENTS

第2章 ネットで株取引を実践する

第4章 MM法で使うチャートはこれだ

今週のベストスリー
株
株
株

第1章

ネットで株取引、
これだけの利点

1 インターネット取引が革命的な4つの理由

●不愉快な店頭に行かなくていい

従来は、一般の人が株取引をしたいとなると、まずは証券会社の店頭に赴くか、少し慣れてくると電話で用件をすますかの２つの方法しかありませんでした。あるいはあなたが裕福な顧客なら、その日の相場が引けてから証券会社の営業マンの訪問を受けることになるのではないでしょうか。しかし、私には無縁ですので、このような経験はありません。多分そうだろうと想像するだけです。

この最初の証券会社訪問はあまり愉快なものではありません。もちろん応対する証券レディは十分教育されておりますし、少しでも証券業界の“特異性”を薄めるようには努力しています。だが、株取引をしたいと告げてバトンタッチして現れた証券マンは、あまり愉快ではありませんでした。

たとえば、いろいろ株のことを相談すると、まずは難しい専門用語でそれを知らない初心者を煙に巻きます。慣れてくると相手の企みが判るものです。というより、おこがましいですが、現在の私に言わせれば「何も知らないで、よくぞそれくらいの知識で対面営業ができるな」と思わせるくらいのものです。その程度です。

しかし、最近は口座開設から、送金、取引結果報告、取引残高報告書、担保同意書などすべての情報が電子化されインターネットでできます。証券会社に行く必要がないのです。これは株取引の世界では革命的なことです。なぜ革命的かというと、次のような変革が行われたからです。

●曖昧さがない

まず、少し慣れてくるとよくやる電話による株の注文、これを取り上げてみましょう。今までどうしていたかというと、電話で受けた注文は担当者が伝票に書き込み、これを同じフロアーにある計算機係に渡して機械に打ち込んでいました。今日では株価の変動が速く、そんなことをしていたのでは操作中に株価が変動し、はたして

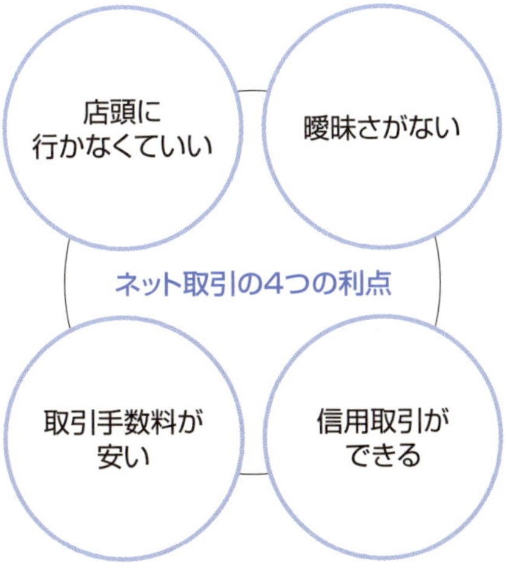

客の注文が正確に執行されたのかどうか疑問になります。自分で決めた株価で売買する、これを指値《さしね》注文と言いますが、注文したが成立しなかった場合、本当にできなかったのか、係りの操作ミスでそのようになったのかは客には判りません。1,000円、2,000円のものならそれでもすむでしょう。だが株取引の場合には何十万円から何百万円になる取引です。これが上記のような曖昧さではたまりません。

インターネットによる取引では、まずこのような曖昧さがありません。すべてが明々白々です。

上場している全銘柄の、時々刻々変化する売買の気配値はインターネット上の画面で見ることができますので、自分が「買いだ」とある銘柄に注文を入れると、100株と言えどもインターネット上の画面に反映されます。さらに自分の決めた株価で指値注文すると、瞬時に画面上のボードに反映します。投資家はそれを見て、たとえば自分の買いの指値で注文しても、売り方がその株価より高い気配値を表示していれば、この買い注文は成立しません。自分より高い株価で指した人に買われてしまいます。これらがリアルタイムで表示されるのです。売買の現場がスクリーン上に表示されるのです。

したがって注文における曖昧さは残りません。図I-1はインターネット接続された自分のパソコン上での一画面です。売値と買値がそれぞれ５種類出ますが、５本足気配と言っています。現在取引ができた株価、昨日の終値からの変化、今までの出来高などが表示されています。これら表示銘柄は自分で好みの銘柄に自由に入れ替えることも可能です。

例としてI-1の中外製薬（4519）を見ましょう。まず表示上部に現時点で売買され成立した株価1,646円が表示されています。言うまでもなく、この株価は時々刻々と変化します。これを見ると、下半分の買い方の指値で最も売り方に近いのは1,646円で、2,900株

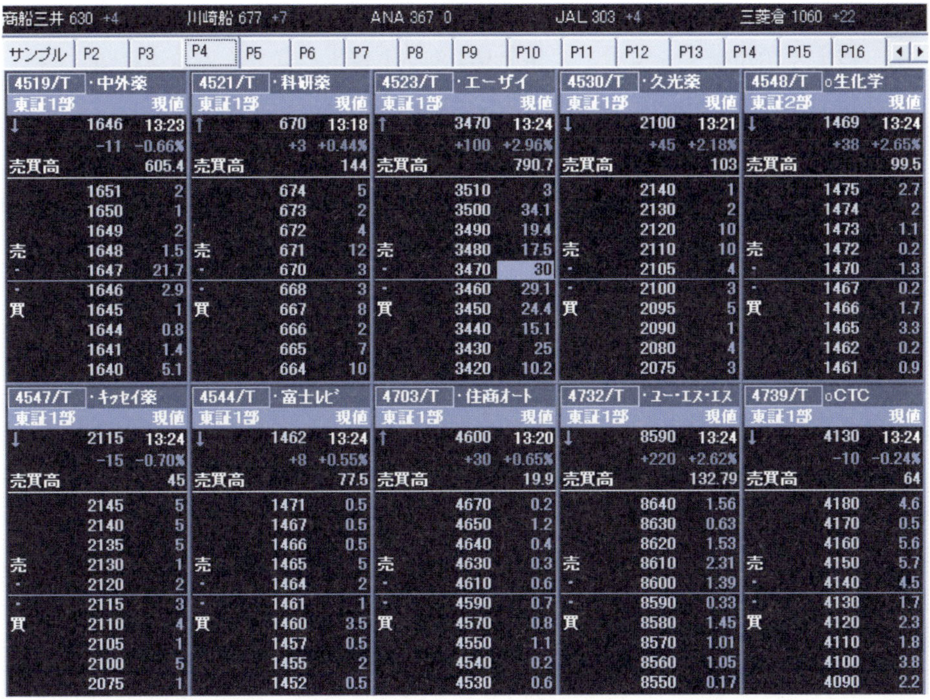

I-1 松井証券のネットストックトレーダ

の買い希望があります。これに対して上部に示される売り方で買い値に最も近いのは1,647円で、21,700株の売り希望が表示されています。つまり売り方は買い方より希望が強いということになります。多分売り方は妥協して1,646円でも売ろうということになるでしょう。なんといっても同じ株価で売りたい中での競争が激しいからです。

●取引手数料が安い

インターネットの株取引が革命的であるもう１つのものは、取引手数料が非常に安いということです。従来この取引手数料は株を売買したときの約定代金（株取引での売買が成立したときの金額）の約１％が相場でしたが、それが0.1％以下にすらなっています。各社手数料の一覧はI-2に示しましたが、１回取引の手数料がコーヒー１杯分のものもあります。

各社の手数料、その他については次のホームページが最も充実していると思います。

http://kakuko.net/

「かぶこーネット」を開いて、「かぶこー・めにゅ」のなかの「オンライントレードの騎士」を見ると、すべてのオンライン証券のサービスがどんなものか、ランキングを見ることができます。

何十万円もの取引に、たかが１％の手数料はたいしたことがないと思えるでしょうが、それが意外に株取引に大きな影響を与えます。極端に言えば株取引の形態が様変わりするほどです。人はこれを証券取引の革命だと言います。

たとえば株価1,000円の銘柄を1,000株買ったとします。もしこの買いが成立すれば約100万円を証券会社に支払います。その１％の手数料とは１万円です。この１万円の意味が大きいか小さいか、またその違いはどのように株取引の形態に影響を与えるかです。

株価は自分がこの価格なら将来は上がるに違いないと信じて買います。しかし、どのように調査しても、株価の行く末は神のみの知るところで、自分の読みと異なる動きをすることがあります。たとえば上記1,000円の株が10円下がった場合です。すると1,000株では約１万円の損失が発生します。

売買の往復手数料は約２万円になります。

株式はよく「損切り」というのを行います。前記の、10円下がって１万円の損失が出たときこれはまずい、一旦は損をしてもこの辺で逃げておこうとする行為です。このような損切りを行うのは株式取引では常ですが、取引の失敗から来る損失は１万円としても、手

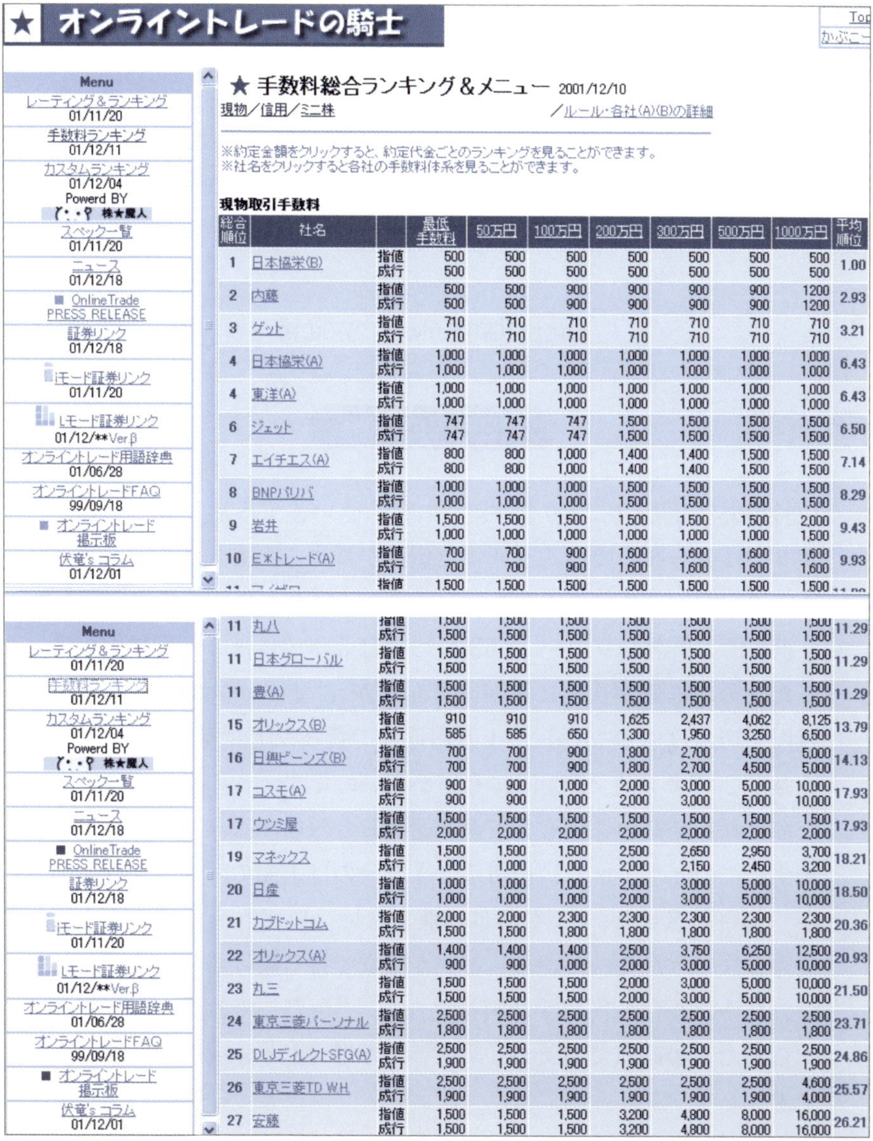

★ オンライントレードの騎士

Top
かぶこー

Menu
レーティング＆ランキング
01/11/20
手数料ランキング
01/12/11
カスタムランキング
01/12/04
Powerd BY
株★魔人
スペック一覧
01/11/20
ニュース
01/12/18
OnlineTrade
PRESS RELEASE
証券リンク
01/12/18
iモード証券リンク
01/11/20
Lモード証券リンク
01/12/**Ver.β
オンライントレード用語辞典
01/06/28
オンライントレードFAQ
99/09/18
オンライントレード
掲示板
伏竜's コラム
01/12/01

Menu
レーティング＆ランキング
01/11/20
手数料ランキング
01/12/11
カスタムランキング
01/12/04
Powerd BY
株★魔人
スペック一覧
01/11/20
ニュース
01/12/18
OnlineTrade
PRESS RELEASE
証券リンク
01/12/18
iモード証券リンク
01/11/20
Lモード証券リンク
01/12/**Ver.β
オンライントレード用語辞典
01/06/28
オンライントレードFAQ
99/09/18
オンライントレード
掲示板
伏竜's コラム
01/12/01

★ 手数料総合ランキング＆メニュー　2001/12/10

現物／信用／ミニ株　　／ルール・各社(A)(B)の詳細

※約定金額をクリックすると、約定代金ごとのランキングを見ることができます。
※社名をクリックすると各社の手数料体系を見ることができます。

現物取引手数料

総合順位	社名		最低手数料	50万円	100万円	200万円	300万円	500万円	1000万円	平均順位
1	日本協栄(B)	指値	500	500	500	500	500	500	500	1.00
		成行	500	500	500	500	500	500	500	
2	内藤	指値	500	500	900	900	900	900	1200	2.93
		成行	500	500	900	900	900	900	1200	
3	ゲット	指値	710	710	710	710	710	710	710	3.21
		成行	710	710	710	710	710	710	710	
4	日本協栄(A)	指値	1,000	1,000	1,000	1,000	1,000	1,000	1,000	6.43
		成行	1,000	1,000	1,000	1,000	1,000	1,000	1,000	
4	東洋(A)	指値	1,000	1,000	1,000	1,000	1,000	1,000	1,000	6.43
		成行	1,000	1,000	1,000	1,000	1,000	1,000	1,000	
6	ジェット	指値	747	747	747	1,500	1,500	1,500	1,500	6.50
		成行	747	747	747	1,500	1,500	1,500	1,500	
7	エイチエス(A)	指値	800	800	1,000	1,400	1,400	1,500	1,500	7.14
		成行	800	800	1,000	1,400	1,400	1,500	1,500	
8	BNPパリバ	指値	1,000	1,000	1,000	1,500	1,500	1,500	1,500	8.29
		成行	1,000	1,000	1,000	1,500	1,500	1,500	1,500	
9	岩井	指値	1,500	1,500	1,500	1,500	1,500	1,500	2,000	9.43
		成行	1,000	1,000	1,000	1,000	1,000	1,000	1,500	
10	E*トレード(A)	指値	700	700	900	1,600	1,600	1,600	1,600	9.93
		成行	700	700	900	1,600	1,600	1,600	1,600	
11	丸八	指値	1,500	1,500	1,500	1,500	1,500	1,500	1,500	11.29
		成行	1,500	1,500	1,500	1,500	1,500	1,500	1,500	
11	日本グローバル	指値	1,500	1,500	1,500	1,500	1,500	1,500	1,500	11.29
		成行	1,500	1,500	1,500	1,500	1,500	1,500	1,500	
11	豊(A)	指値	1,500	1,500	1,500	1,500	1,500	1,500	1,500	11.29
		成行	1,500	1,500	1,500	1,500	1,500	1,500	1,500	
15	オリックス(B)	指値	910	910	910	1,625	2,437	4,062	8,125	13.79
		成行	585	585	650	1,300	1,950	3,250	6,500	
16	日興ビーンズ(B)	指値	700	700	900	1,800	2,700	4,500	5,000	14.13
		成行	700	700	900	1,800	2,700	4,500	5,000	
17	コスモ(A)	指値	900	900	1,000	2,000	3,000	5,000	10,000	17.93
		成行	900	900	1,000	2,000	3,000	5,000	10,000	
17	ウツミ屋	指値	1,500	1,500	1,500	1,500	1,500	1,500	1,500	17.93
		成行	2,000	2,000	2,000	2,000	2,000	2,000	2,000	
19	マネックス	指値	1,500	1,500	1,500	2,500	2,650	2,950	3,700	18.21
		成行	1,000	1,000	1,000	2,000	2,150	2,450	3,200	
20	日産	指値	1,000	1,000	1,000	2,000	3,000	5,000	10,000	18.50
		成行	1,000	1,000	1,000	2,000	3,000	5,000	10,000	
21	カブドットコム	指値	2,000	2,000	2,300	2,300	2,300	2,300	2,300	20.36
		成行	1,500	1,500	1,800	1,800	1,800	1,800	1,800	
22	オリックス(A)	指値	1,400	1,400	1,400	2,500	3,750	6,250	12,500	20.93
		成行	900	900	1,000	2,000	3,000	5,000	10,000	
23	丸三	指値	1,500	1,500	1,500	2,000	3,000	5,000	10,000	21.50
		成行	1,500	1,500	1,500	2,000	3,000	5,000	10,000	
24	東京三菱パーソナル	指値	2,500	2,500	2,500	2,500	2,500	2,500	2,500	23.71
		成行	1,800	1,800	1,800	1,800	1,800	1,800	1,800	
25	DLJディレクトSFG(A)	指値	2,500	2,500	2,500	2,500	2,500	2,500	2,500	24.86
		成行	1,900	1,900	1,900	1,900	1,900	1,900	1,900	
26	東京三菱TD W.H.	指値	2,500	2,500	2,500	2,500	2,500	2,500	4,600	25.57
		成行	1,900	1,900	1,900	1,900	1,900	1,900	4,000	
27	安藤	指値	1,500	1,500	1,500	3,200	4,800	8,000	16,000	26.21
		成行	1,500	1,500	1,500	3,200	4,800	8,000	16,000	

I-2

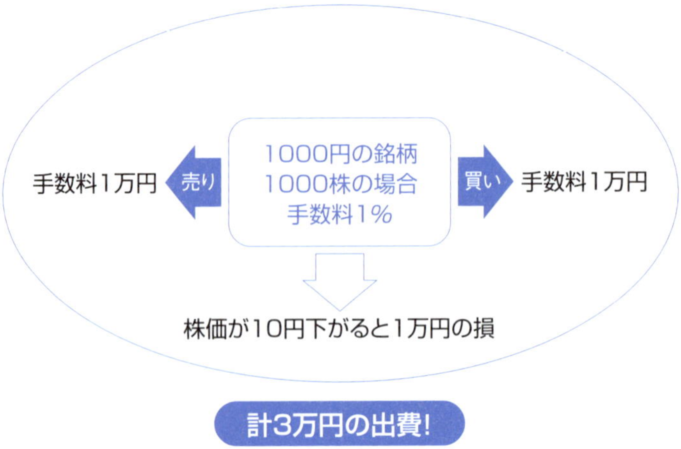

数料損失は２万円になります。これは大きい、すると「10円の値下がりでは売らないでおこう、また値上がりするかもしれない」と考えるのです。この思い直しが致命的になる場合があるのです。

世界的に著名なソニー（6578）の株は５年前には３万円以上しました。その株価が次第に下がりましたが、「まさかソニーの株が１万円を切るはずがない」と１万円近くで買った人は数多くいます。それが2005年現在4,000円にも届かないのです。このように、どんなに優れた企業の株価も、下がり始めると雪崩のように崩れていきます。このとき、すぐに損切りできないのは上記の「まさかソニーが」という感覚と、「手数料は馬鹿らしい。いずれソニーのような優秀な株は上がるのだから」という感覚で持ち続けるのです。これが、たかだか数百円の手数料損失なら、「今売っておこう。下がったらまたその時点で買えばよいじゃないか」、ということになるのです。

たかだか１％の手数料といっても、意外に投資家はケチなのです。このネット取引による画期的に安い手数料があれば、それほど悲劇的にならなかったのではと思われるケースが多々あります。

したがって、手数料の安さは、インターネットの革命的な利点の１つなのです。

さらにインターネットのメリットは他に多くあります。

●信用取引ができる

株式には現金で買う現物《げんぶつ》取引と、信用《しんよう》取引があります。信用取引は証券会社にあらかじめ何らかの担保を差し出しておいて、株式を買うときに現金の持ち合わせがなく融資を受けて買う、というシステムです。このためにあらかじめ証券会社との間に信用取引口座を開設し、保証金を納めなければなりません。この保証金がインターネット時代になって安くなったのです。いまだに旧大証券はこの保証金を数千万円としておりますが、インターネット取引を専業とする通称ネット証券では、30万円です。これなども、裕福でない一般個人投資家には何ものにも替えられないほどの利点だと思われます。

信用取引では原理的にこの保証金の約３倍までの取引が可能ですので、資金力の乏しい個人投資家にとってはありがたい話です。

インターネット取引にはさらに数々の利点があり、いまや個人投資家の50％以上が利用しております。この傾向はますます増大し、後戻りすることはありえないでしょう。

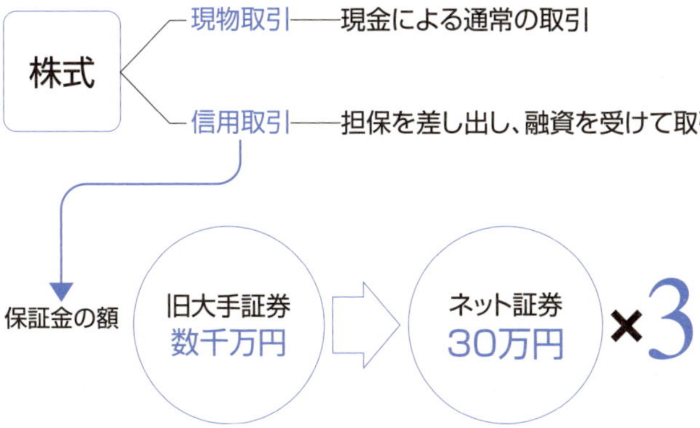

2 個人投資家が陥りやすいワナ

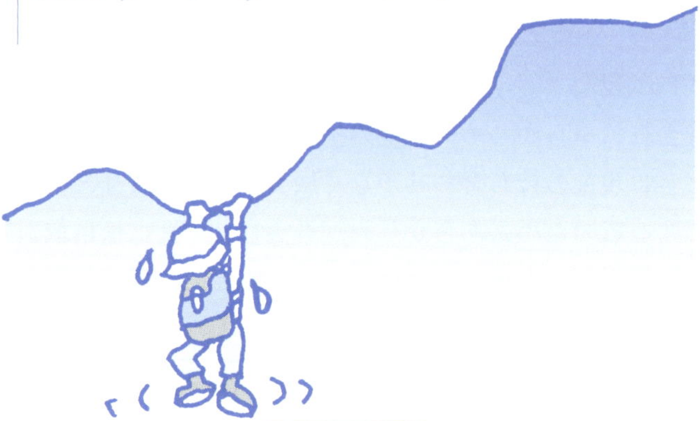

●従前の手法は通じない

私の経験からも、「この株の世界では個人投資家である自分とは何なのか」を自覚しておかなければ失敗するように思うのです。

本当の意味での市場（マーケット）経済が日本に導入され機能しだしたのは、それほど旧い話ではありません。多分1985年、G5の蔵相、中央銀行総裁などがニューヨークの高級ホテルで会合した「プラザ合意」以降ではないでしょうか。

1980年代の日本は、シニアの皆様ご承知のように、ハーバード大学教授のエズラ・ボーゲルの書いた『ジャパン・アズ・ナンバーワン』が示した経済大国でした。

アメリカの富の象徴であるマンハッタンのロックフェラーセンタを買い取ったり、カリフォルニアのペブルビーチ・カントリークラブのオーナーになったりと、アメリカ人の頬を札束で逆なでしていた時代です。それがプラザ合意を受け、円高などの一連の経済政策でガタガタになったのは、まだ記憶に新しいところでしょう。

８％以上の自己資金比率を求めたBIS（国際決済銀行）規定によって、まず日本の金融機関が的になり、メガバンクは根底からゆさぶられ、今日の大合併に結びついているのも事実です。

このようなグローバルと言われる基準に従って、日本にアメリカ式の市場原理が奔流のごとくなだれ込み、現在のマーケットを構成しています。私の言いたいのは、このようなマーケットで勝者になるには、従前の証券会社の手法ではすでに旧いのだということです。

●市場経済の先進国日本

しかし、振り返ると日本は市場経済のある面では先進国だったのです。それは米相場です。その歴史は旧いものですが、システムの基本は現代の先物市場と同じです。

米相場で辣腕をふるい、巨万の富を得て本間物産の基礎を築いたのは本間宗久です。宗久は1725年、屈指の穀倉地帯である出羽に生まれる。８代将軍吉宗の時代です。23歳で江戸に出て蔵前で米相場に参加し、常勝不敗で相場の神様と呼ばれました。その手法は変幻自在で徹頭徹尾論理性に貫かれた手法であったようです。

彼の表した「坂田の五法」「本間宗久相場三昧伝」などは今日の株取引にも通用するバイブルです。投資家心理は100年経過してもそれほど変わらないと知るのは面白いことです。

現在でも通用する手法として、その一部を表１に示しておきます。

ビギナーの方がいきなりご覧になってもその真意を理解することは難しいですが、経験と共に読めば読むほどなるほどと納得させられます。

この本間宗久の秘伝は、また後でご紹介します。

表1　**本間宗久相場三昧伝**

○相場は踏み出しが大切で、悪い踏み出しはつらい取引になる
（私はこれを難しい取引と言って、しないようにしています。後述）

○みんなが弱気のときは、心を転じて買いに入る。

○底値保ち合いは反騰近し。

○相場の高安は天然自然のこと。道不案内の人、うかつにこの商いすべからず。

○底を見極めて買い、ある程度の利益をつけたとき、相場が保ち合いに入るか、少々の下げがくると、すぐにも手仕舞い、後に上がったとき、あのとき売らなかったら、と思うのははなはだ心得違いである。

○出遅れたとき、買い遅れたと売りに回るのは、はなはだ過ちなり。買い場を待つべき。

○運が向いてこないときは、決して売買しない。手仕舞って休め。

○利食い千人力。儲けたら休め。

●ウソの儲け話が多い

話を現代に戻して進めましょう。

個人投資家はこの市場経済で、どのような位置におり、どのような扱いを受けているかを知っておく必要があります。

個人投資家のビギナーが、何も知らないで市場に参加することは、サーキットでカローラに乗ってF1カーと競争するようなものです。しかもこの世界では何のハンデイキャップもありません。私たちは

完全に独立した、また孤独な投資家です。この孤独に耐えられるのか、このような厳しい環境の中で他人に頼らないで、己の才覚で生き残れるのか。大変厳しい言葉ですが、まず株の世界に参加しようと思われるなら、少なくともこのくらいの覚悟が必要です。

「1億円を儲けた」「数千万円儲けた」とカリスマ主婦といわれる人が書いたもの、みな嘘か、出版社に誇大に宣伝された代物です。数ある情報誌に掲載される買い銘柄のなかには、その銘柄を選択した動機は納得させられるものもあります。しかし、どの時点で、いくらで買い、いつごろに値上がりして利益を出せるのか、そのようなものが明記されたものは皆無です。つまり読み物であり己の資金を託すものではありません。そらそうでしょう、たかだか1,000円くらいの雑誌を買って、掲載されている買い推薦銘柄で数十万円も儲ける論理がこの世の中にあるでしょうか。

私はあるとき興味本位で経済評論家として著名な親しい友人に「株を買ってみようかと思うのだが、なにがいいかね」と尋ねたところ「日産自動車だろう」と言われ当株を買いました。しばらくすると値上がりしたので売って利益を上げました。「おかげで儲けたよ」と報告したら、彼は手のひらを上にして差し出したのです。私はびっくりしました。

これが市場原理なのでしょうね。当時はおかしなやつだなと思っておりましたが、今となると成る程と思うのです。

証券会社の営業マンが、いろいろと魅力的な勧誘の言葉を投げかけてきます。「今は中国株だ」「今度は低位株だ」「今度はIT株だ」「今度は買収劇が主役」などと勧誘しても、ではどの銘柄をいくらで買えばよいのか、そして幸運にも値上がりしたとき、「売りですよ」と親切に教えてくれるのか。そして数十万円を手に入れる方法を、このように売買手数料を払うだけの投資家になぜ親切に教えてくれるのか。

いつ売るか、その方法は？
——誰も教えてくれない！

このメカニズムの裏に隠れる、汚染された証券業界の実態を見抜けなかったら、確実に個人投資家は負けます。資産を失う近道はそこにあります。まさしく上記の坂田の五法で言われている、「道不案内の人、うかつにこの商いすべからず」です。

現役の、働き盛りの人は、いささかの損失もいずれカバーできるでしょう。だが、シニアがどうカバーしますか。これは深刻な問題です。

●アマにはアマの投資法がある

私も個人投資家です。なぜ個人投資家はマーケットの餌食になるのかを考えてきました。すると、判ったことは、個人投資家が運用する資金は自分の金だということです。これがすべての原点なのです。現役の人なら、汗水たらして儲けた金です。シニアならただですら乏しい年金でしょう。それを失うことは死活の問題に発展します。

だがプロの運用する資金は他人の金です。金融商品はすべてリス

表2　株売買における個人投資家の位置

○ほとんどの分野でプロとアマとは区別され、違った世界で活躍する。

○株はプロとアマが共存している。プロが有利である。

○証券界では、一般個人投資家はゴミと呼ばれ軽蔑されている。

○価値のある情報は後回しに知らされる。知ったときには、もはや遅すぎるか、かえって逆の影響を受ける。

○政府は1400兆円の個人資産をマーケットに呼び込みたいが、証券界がクリーンにならなければ個人投資家は動かない。

○しかし、インターネット取引が活発化し改善しつつある。それでも旧大手証券会社の体質改善は必要。

キーだと予告して運用します。したがってプロの株取引上の戦略が、個人投資家に合うはずがありません。

私はあるとき偶然ですが、証券業界で著名なテクニカル・アナリストとゴルフで同じパーティーになりました。よくTVで見たり証券雑誌に顔を出す人気のプロです。そのときに彼ら友人同士で話した会話が私の脳裏に深く焼き付いております。「ぼつぼつ俺たちも実際にトレードしてみようよ」と言ったのです。テクニカル分析をして情報を流すことをビジネスとするプロですが、自分ではトレードをしたことがないというのです。

これは本当なのでしょう。証券会社に所属する従業員は場合によってはインサイダー情報（内部で秘密にされる未公開情報）を知る機会があるので、自分での株取引は禁じられています。しかし、自分でしたこともない株のことを客先に教えることの矛盾、これは何なのでしょう。

しかし、トレードを専門とするプロは証券会社の奥の院に実在します。彼らと私たち個人との差は表３に示しましたが、１つは資金の質の違い、２つは、それがゆえに感情に差が出る、というものです。

このような個人投資家が陥る罠を表４に示しました。

個人投資家は、そもそもこのような欠点を持っているということを自覚され、成功されることを願っています。

表3　個人投資家とプロの株取引手法の違い

○プロはファンダメンタル分析を主として、長期戦略に基づく手法をとる。

○根本的に異なる点は、プロは他人の金を運用するのに比べて、個人投資家は自分の金でやる。だから真剣勝負だ。

○したがってプロはドライな戦略を立てるのに比べて、個人は感情が入る。

○このような事情からプロはビジネスとして運用するが、個人は直接利益を追求する。これが時に失敗の原因となる。

○プロは失敗をビジネスとして処理するが、個人は損を被ったと感ずる。

○プロは損切りを躊躇なくするが、アマにはこれができにくい。

表4

個人投資家の陥りやすい過ち、私も何度も誤った

○相場全体が上がり始めると、持たないリスクを感じてそわそわし、相場が底から脱したと早とちりして高値で買ってしまう。高値つかみの癖。

○個別銘柄の底ないし押し目を見つける手法は最重要だが、方法が判らない。

○買った株価が下がっても損切りせず、再び買いレベルに戻ったとき、さらに上がるのを期待する。そこは抵抗線で、それ以上上がり難いと知るべきなのに。

○好業績銘柄(トヨタ、ホンダ、キヤノンなど)が値下がりしたとき、いずれ回復するだろうと塩漬けにしてしまう。銘柄に惚れてはならない。

○今は長期では底だ、優良銘柄を仕込んでおけばいずれ上がるだろうと期待する。いつ上がるのか？ それまで待てるのか？

○株式はストックだと誤解している。株式はフローだ。資金は相場に晒さないのが安全。

○株価情報誌を買い漁って、自分の感性を鈍らせてはならない。

○余裕資金が入ると、すぐに株を買う。

3 ファンダメンタル分析か テクニカル分析か

●理論株価は当てにならない

株を売買するときには、その銘柄の企業がどのような経営状態なのかを充分知る必要があります。

株式とは、企業に投資家が投資し、その結果企業は価値を高めてさらに資金調達を容易にし、さらにそれを用いて設備ないし研究に投資して将来の戦略を立てるというものです。これによって企業が発展すると大きな収益を上げることができ、さらに投資家に還元する。つまり、投資家も企業も共に利益を享受するという市場経済の原則です。

したがってある企業の株式を買うとするなら、その企業の経営状態、将来展望を調査して企業の価値を判断しなければならない、というのが、ファンダメンタル分析です。つまり、ファンダメンタル分析による企業の株式取得は、現在の経済の基盤である市場原理そのものなのです。

具体的にどのような分析をするかとなると、各種の手法があり、これだというものはありません。よく、証券情報に関する出版物を発行する会社は、自社なりに開発した理論株価と称するものを出して投資家に売買の方針を示します。投資家は、この理論値より現株価が安い場合、その銘柄を買うことによって値上がり利益を得ることができる、というものです。

この理論のベースになっているものは、現在の＜企業価値＞＜投資家に還元する配当＞＜将来展望＞の３要素で、これらを数値化して出すものですが、各社によって結果には相当な開きがあります。理論株価というからには、私のような環境で仕事をした人間には客観性のあるものと考えますが、そうでもないようです。どこかの会社の理論株価が正しく、その判断通りに株価が移行するのかと見ていても、必ずしもそうだとは言い切れません。つまりどこの社の理論株価もたいしたことはありませんし、また個人投資家に売りつける雑誌広告のレベルだと思っていただいて結構です。

次に述べる指標は、一般投資家には比較的調査しやすいものです。判断材料とします。

●3つのファンダメンタル指標

表５に示したように、最も一般に使われる指数として＜PER＞があります。これは株価を１株利益で割ったものです。子会社の業績を通算した連結決算の場合は＜連結PER＞そうでない場合＜単独PER＞となります。

また、決算期が３月の企業が９月の中間決算で、通期の決算を予測して出すPERは＜予想PER＞と言います。株価はその企業の将来を見て変動しますので、通常はこの予想PERで当銘柄の株価が

表5　**ファンダメンタル分析とは**

プロは少なくても次の項目は綿密に調べる。

1）PER（株価収益率）＝（株価）／（1株あたりの利益）

連結利益なら連結PER、来期なら予想PERなどと言う

2）PBR（株価純資産倍率）＝（株価）／（1株あたりの株主資本）

純資産＝株主資本

3）PCFR（株価キャッシュフロー倍率）＝
（株価）／（1株あたりのキャッシュフロー）

キャッシュフロー＝1株あたりの現金収支

さらに、

商品の将来性、設備投資、研究投資、バランスシート

この他に、

経済成長率、GNP、GDPの変化、日銀短観、
金利、政府の財政、金融、為替政策、鉱工業、
生産指数、失業率

高いか安いかを判断します。たとえば現在2005年5月とします。すでに2006年の会計年度になっており、今年度の業績結果は2006年3月に判ります。したがってこの2006年3月の発表を待たないで、その業績を予想して株式を売買するわけですが、このような状態のPERが予想PERです。すると、すでに決算発表されたPERは役に立たないということになります。

しかし、この指標は人気がありプロもよく使いますし、また相場が膠着して何を買ってよいか判らないようなときには、低PER銘柄を狙えということもあります。PERが低いということは株価が安いということですが、反対にその銘柄は人気がないということにもな

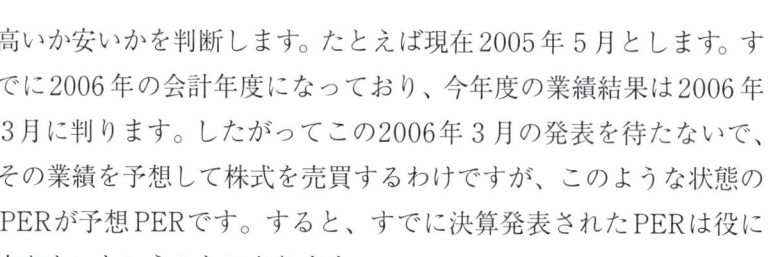

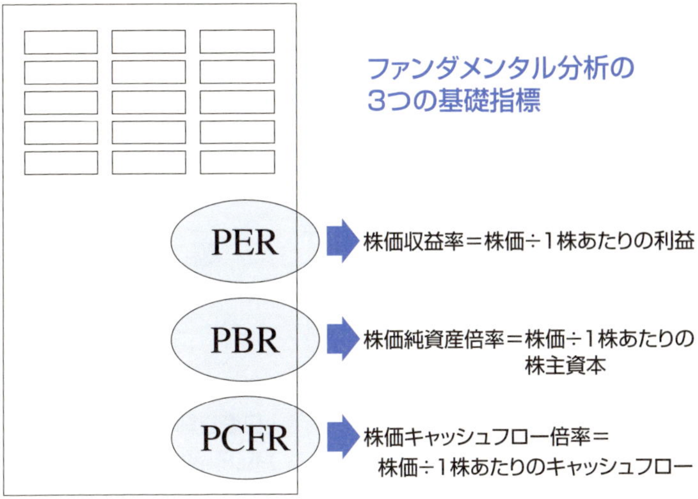

ります。

たとえば、ソニー（6758）は個人投資家に人気です、2002年8月現在、そのPERは384です。これに対して、これも優良企業である武田薬品（4502）のPERは34でした。すると武田は買いかということになりますが、そう簡単ではありません。

現在東証一部の平均PERは約20であり、四季報によってPER＜15の銘柄を検索してみますと、337銘柄あります。日産自動車（7201）はゴーン社長が就任してから急回復しましたが、2005年現在、そのPERは約10です。日産の株価は非常に安く評価されていることになります。では日産は買いかとなるとそうとも言えません。「PERはそれほど信用できないな」というのも1つの見方です。

次によく用いられるのは、＜PBR＞です。これは株価を1株あたりの株主資本で割った指数です。これが高いと、その企業は高く評価されているということになります。

最近は企業買収が盛んです。これはアメリカ資本主義の根本をな

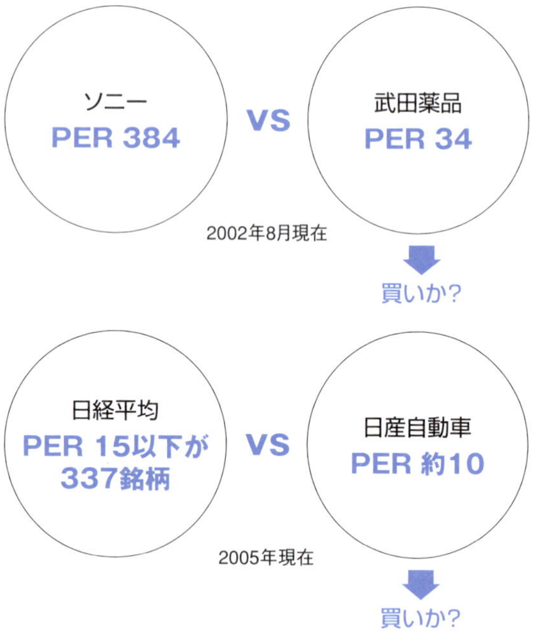

す思想で、日本もそうなりつつあります。これをPBRで見ると、もしこの指数が１以下なら、企業をまともに買収する経費より、株を買い集めたほうが安価だということになります。有利子負債、つまり借金が少なく、キャッシュを持ち、PBRが１以下の企業は市場で敵対的に買収されやすく、買収されるとせっかくの功労者は報われなくなります。そのために特定株主を増やして高額の配当をしたりして、株主が持ち株を市場に出すことのないような戦略をとります。

すると、その株価は上昇するのではという期待が起こります。つまり現在の株価が安いか高いかの判断をPBRによって行うのです。2005年２月株式市場で日本全体を騒がせたライブドア（4753）による日本放送の買収問題もその典型です。

たとえば富士通（6702）を見ましょう。過去のPBR平均は約2.0

でした。これで株価を算出すると約930円になります。現2005年１月の富士通の株価は650円です。すると富士通は買えるのかということになります。参考までに2005年１月時点、四季報で、PBR＜1.0以下の銘柄を東証一部で検索すると658銘柄にもなります。

さらに、最近の企業価値を判断する材料にキャッシュをどのくらい持っているかがあります。わが国の企業経営は長い間、儲けをただちに設備投資、研究投資などに使ってきましたが、最近はどのくらいキャッシュがその企業に流れ込むかが問題にされるようになってきました。しかし、株価を１株あたりのキャッシュフローで割った＜PCPR＞はPER、PBRほど一般的ではありません。

以上の指数は会社情報、四季報などの出版物によってある程度判断することもできますが、それらはすでに多くの人に知られているものであり、情報としては色あせたものです。アナリストはこのような情報を他人より早く掴むために営々と努力を重ねています。証券会社もこのようなアナリストを多く抱えて、その情報を優良顧客に売りこんだり、あるいは企業買収の戦略やその防衛法を工夫したりすることによって対価を得ています。

借金なし、
キャッシュあり、
PBR１以下の企業
株を買い
集める!
PBR1
買収!

●チャートは嘘をつかない

他方テクニカル分析とは上記のファンダメンタル分析とは180度反対極に位置したものです。これは、企業の活動に関する情報を基本的には必要としません。問題にするのはチャートというものです。これは過去の株価の動きをチャート上に描き、そのチャートのパターン、あるいは種々研究されてきた手法によって、その企業の株価が高いか、安いかを判断するものです。図Ⅰ-3は典型的なチャートを示しています。ホンダ（7267）のものです。

連続して描かれているのは移動平均線です。動きの速いものは9週の平均値をカーブにしたもの、遅いものは26週平均です。詳しくは後述します。

本書はチャートからいかに株価判断を引き出すかを主題にしておりますが、このような分析手法は数多くあり、たとえば、東洋経済社発行の＜株価チャートCD-ROM＞には表6で示すような手法が網羅されています。このCD-ROMの内容の他に代表的なもの、ゴールデンチャート社、CSK製作のチャート（日興ビーンズ、松井証券、マネックス証券、オリックス証券などが採用）の内容も示します。各社内容に若干の差がありますが、ほとんど同じです。

しかし、もしお求めになるようでしたら、本書で使うのはボリンジャバンド、DMI、RSI、MACDが必要ですので、それを含んでいるものがご推薦です。

テクニカル分析の最大の特徴は「チャートは嘘をつかない」ということです。ファンダメンタル分析は、伝える人の言葉によってはデリケートな株価の変動を大げさに伝えたり、また過小に伝えたりして、聞く人が誘導される危険性があります。

しかし、テクニカル分析では、チャートは客観的な数値から作られるので、その疑惑はありません。むしろ読む人のスキルによって

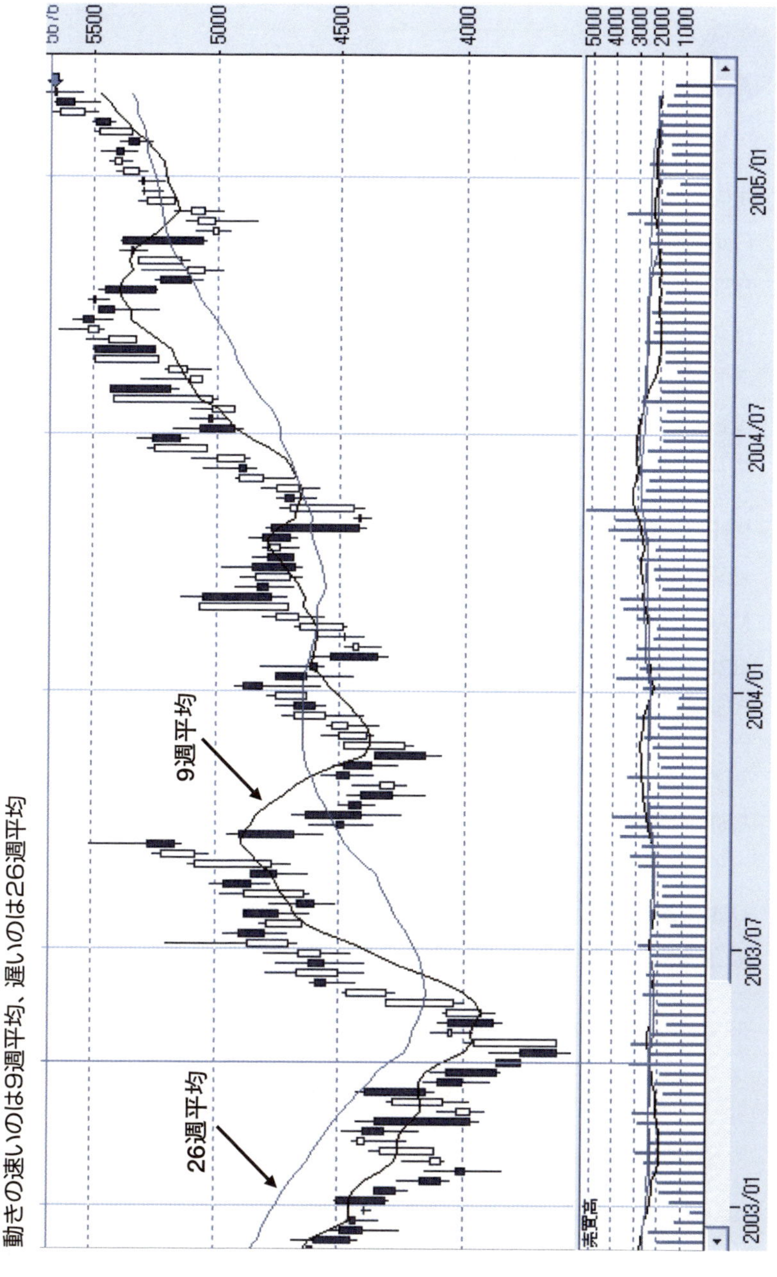
動きの速いのは9週平均、遅いのは26週平均
9週平均
26週平均
5500
5000
4500
4000
売買高
5000
4000
3000
2000
1000
2003/01
2003/07
2004/01
2004/07
2005/01

I-3 ホンダのチャート

表6　各社分析ソフトの内容紹介

東洋経済株価チャートCD-ROM

ボリューム幅ローソク足、カギ足、新値足、P&F、一目均衡表、Gannアングル、ファンチャート、OBV線、株価帯出来高、逆ウオッチ曲線、RSI、RCI、スプレッド指数、ストキャスティクス、MACD、サイコロジカル線、ベクトルモーメンタム、エコー指数、ボリューム幅モーメンタム、コボック買い指数、移動平均乖離、ボリンジャバンド、モメンタムボラティリティ、β値

ゴールデンチャート

P&F、新値足、カギ足、出来高平均乖離、移動平均線、GCV、SRK、循環工程係数、株価平均乖離率、ストキャスティクス、コボック指数、MACD、ボリンジャバンド、逆ウオッチ曲線、OBV、サイコロジカル線、RCI、RSI、FFA

CSK

移動平均線、戻り値推定、一目均衡表、ボリンジャバンド、バラボリック、RSI、ストキャスティクス、移動平均乖離、サイコロジカル線、ボリュームレシオ、ボラティリティ、DMI、P&F、新値足、カギ足、逆ウオッチ曲線、騰落価格、騰落率

充分効果的に読めるか、何も得られないかの差は生じます。したがって、テクニカル分析で株式を運用して利益をあげるためには、個人投資家の勉強が必要です。

私が各地のセミナーに招待され個人投資家と意見交換するときに感ずるのは、個人投資家は勉強をしないで情報のみを欲しがるようです。つまり、何を買えばよいのかだけを知りたがります。このような個人投資家は証券会社の店頭を訪問し、株情報誌を集め、ベテランの言うことを信じることが多いようです。これは私の経験から判断して、資産を失う近道です。私もその道を一度通過したからよく判るのです。

冷静に判断してみましょう。まずこのような売買情報を得て、それでひと勝負数十万円の利益を上げようと期待するのは、この市場経済のなかでは論理的に矛盾します。もし、それだけの利益を得たいなら、それに見合う対価を提出するのでなければなりません。しかし、個人投資家はそれを最も嫌がります。何度も申し上げますが、証券会社が行う無料の講演会（いつも満員です）、約1,000円近くで買える株価情報誌によって、数十万円の利益を懐に入れることなどできるでしょうか。

チャート分析を怠る個人投資家は敗れると言いたいのです。

4 シニアには短期売買のすすめ

●10年後の資産取得に何の意味が？

私のようなものが市場経済を議論する資格はありませんが、単純に株式とはというと以下のようになります。

ある会社の株を安いときに買い、２、３年あるいは数年から10年以上も持ち続け、値上がり時にこれを売って利益を得る。このような取引形態を長期売買とします。そもそも株式取引とは、企業が株式市場を通して自社株を公開し、投資家が市場を通して株式を購入する。その資金が企業を活性化して資産効果を上げる。企業はその価値を投資家にリターンし、投資家もそのリターンを期待するというものです。現在このシステムがグローバル・スタンダードとなって各国に導入され、世界の市場経済を構成しています。

英語では株式のことを「ストック」と呼んでおりますが、まさしく株式の本質を表現したものです。こう見ると株式取引における長期売買は市場経済の本質なのです。

これに対して、２、３日から２、３カ月保持するが、長期売買に比較して短期で決済してしまうのを短期売買とします。さらに売買（売りはここではカラ売り）したものを、その日のうちに決済してしまうのをデイトレードと呼んでいます。最近では個人投資家の中に実業から離れて、このデイトレードを本職とする“デイトレーダー”が急速に増大しています。

どの取引形態がよいかとなるといろいろな意見が出ます。市場経済の健全な発展のためにはデイトレーダーのような存在は有害だなどという意見もあれば、長期保有してその企業が衰退した、あるいは事故によって株式が紙切れとなったときの投資家の受ける損失はどうしてくれるのか、となるとデイトレーダーを非難することなどできません。

いずれにしても、本書の目的はシニア用です。冷静に見て、シニアに長期保有で得る利益を当てにする時間が残されているでしょうか。また10年後に資産を得たとして、それがなんの喜びになるのでしょうか。孫にプレゼントするくらいなら、株取引における運用金額は高すぎます。

私は「はじめに」で申し上げたように、株投資は年金額の不足を補填するためのものと考えると、とても値上がりを長期間待つというわけにはいかないのです。日経新聞の報ずるように、「年金だけでは暮らせない」と65％の人が答えている事実を見れば、株取引をするとなると短期売買しかないということになります。

つまり、私がシニアにお勧めするのは短期売買なのです。すると、話は非常に単純になるのです。

●アナリストへの不信

先に述べたファンダメンタル分析とテクニカル分析を、もう一度振り返ってみます。長期に株式を保持し値上がり時に決済する取引には、当然このファンダメンタル分析が避けられません。企業の将来発展を期待しこれを確信しない限り、当該企業の株式を長期に持ち続けるのは不可能だからです。しかし、問題はこのファンダメンタル分析を、私たちシニアのみならず個人投資家ができるかということです。

定年退職され、働いておられた企業の経営や将来展望をご承知の方にはそれも可能でしょう。だが、一般の個人投資家が3,000社以上もある上場会社を分析するのはとても不可能です。すると、企業分析の専門職からこのような情報を購入する以外に方法はないということになります。このような職業の人をアナリストと呼んでいます。こう見るとアナリストの存在は、個人投資家にとっては暗夜を航行する時の灯台のように感じられるのです。

しかし、このアナリスト情報の内容、またその発信手段については、最近非常に問題があると見られるようになってきました。

たとえば具体的にアナリストの問題点を１つ挙げてみましょう。それはNTT株の政府放出における問題でした。

官業であったNTTは保有株式の大きな部分を政府が持っています。現在「四季報」でNTT（日本電信電話）の項を開いてみますと、財務大臣が723万株、つまり全株式の45．9％を保有しています。しかし、これはすでに政府放出が行われた後の数値です。私の記憶でも第５回目に放出されたのは、1999年11月、１株の放出価格が166万円、第６回目は2000年11月、１株95万円でした。それが現在、時価が40万円になっています。政府が放出するというので信じた、また大証券が「政府放出だ」といって個人投資家に買わせた、その

表7　アナリストの中立性と、企業のIR活動の信憑性

1)プロ(アナリスト)と言えども、多数の企業分析は個人ではできない。所属機関がこれを行う。

2)アナリストの給金は、投資家に情報を提供する対価としては支払われない。彼らの給金は証券会社の投資銀行部門から出る。ここに企業のIR活動との不純な密着がある。投資家のために仕事をしているのではない。

3)アナリストの中立性→2001年から日米共に大きな問題。

4)日経 01／ 8／3 「米で証券アナリストに不信感」
10／4 「中立性に課題」
12／21「アナリストの低い意識」
02／ 1／15「募るアナリスト不信」
5／23「アナリストの監視強化」
5／26「証券アナリストの中立性確保」など。

最近では、エンロン事件にもアナリストの影が見られる。

5)個人投資家にとってアナリスト情報の信頼性は?

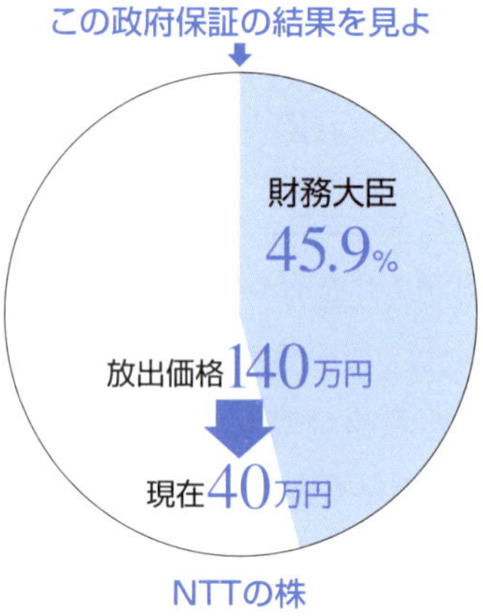

結果がこのようだとは憤懣やるかたない気持ちです。政府、証券会社、企業がグルになる限り、これからも政府放出のJT（日本タバコ産業）株においても同じようなことが行われる可能性が大きいです。

以下の話もこの政府放出株の話です。

さる外資系のアナリストが、このNTTの放出株の価格について厳しい評価を下したのです。すると、株放出に関するNTTの責任者はそれでは高く売れないということで、文章訂正を求めたがアナリストは断ったといいます。このことに関しては、信念を曲げないで自説を通したアナリストをほめるべきです。しかし、NTTは、このアナリストの所属する証券会社の出入りを禁じたといいます。

言いたいのは、アナリストはこのように中立的な報告をすることができない立場にあるということなのです。

優秀な、また著名なアナリストの年俸は数千万円だといいます。このような高給が、単なる企業分析情報を投資家に知らせて得た対価とは、とても考えられません。つまり、アナリストは中立でありえないのです。先のアナリストは、会社からの圧力でやむをえず自説を曲げるでしょう。

　まして、証券界からは軽蔑され、ゴミと呼ばれている個人投資家に、その情報を価値のある時期に手渡すことなどありえないのです。もしアナリストがそのような情報を得て確信を持ったとしたら、まずは優良顧客に先に買わせ、ある時期にその銘柄を買い戻させ、ひと勝負終わった後にはじめて個人に情報を流すのではないかと勘ぐりたくなるのです。つまり、個人投資家は落穂を拾う構造になっています。

　こう見ると、とてもアナリストの発する情報を信じる気にはなりません。すると個人投資家のとる道は、アナリスト情報に頼るファンダメンタル分析よりテクニカル分析であり、しかもリスクを避ける短期売買だということになります。

表8

個人投資家の取るべき売買手法を確認しよう

中長期にはファンダメンタル分析にはアナリスト情報が必要だが、その信頼性と配布方法に問題がある。

⬇

個人投資家が安心してできるのはテクニカルしかない。

⬇

テクニカルで長期分析は不可能、短期ではよい武器となる。

⬇

すると、個人投資家には**テクニカル分析の短期売買**しかないことになる。

5 マニュアル通りで勝てる訳がない

●主食はテクニカル分析

このようにシニアにはテクニカル分析による短期売買をお勧めしましたが、すると取る手段は自宅でのインターネットによる株取引ということになります。とても証券会社の店頭を訪問して行うことはできないものなのです。その理由は、表９に記した通りです。

つまり個人投資家は、自分の才覚で売買する以外にないのです。まず街角にある証券会社の店頭を見ましょう。多分定期的に株価ボードを見に来ると思われるシニアの集団があります。また都市部の店頭には社外営業をするサラリーマンがふらりと立ち寄ることもあるでしょう。

だが、これらの人が利益を上げているという話を聞いたことがありません。証券会社はこの人たちをほとんどど無視しています。

表9

●証券会社の店頭に立つ営業マン、証券レディは、ほとんど役に立つテクニカル手法の知識を持っておりません。店頭で推薦された銘柄は、確かにそのときの相場の雰囲気と将来展望を教えるでしょう。しかし、それはあくまでも長期保有のためのアドバイスです。

●推薦された銘柄はよいとしても、いつ、どの瞬間に、いくらで買えばよいのかのサジェッションはありません。さらに買いを勧めても、その後「これは今売り時ですよ」と教えるのは富裕顧客のみです。個人投資家に教えることは、まずないでしょう。

成功したいならインターネット手法を用いて、パソコンの前に座り込む以外に方法はないのです。何も場中（朝9時から15時まで）パソコンの前に張り付く必要はありません。その技術も後述しますが、少なくてもパソコンの利用は必要です。

インターネットによって相場情報を知ることができます。たとえば何月何日にアメリカは金利を上げるのか（利上げは本質的には企業の活動抑制、株価の低迷を意味します）。G7は何日に開催されるのか。日本の機械受注統計はいつ発表されるのか。関心を持っている銘柄の最近の情報、たとえば業績発表、経営方針の変更などをどういう方法で知るのか。GNPはどうか。これらはみな株式相場に影響を与えます。

本書執筆中、2005年2月にも、メガバンクの1つである三井住友と大和證券の将来に向けての合併が報道され、両者の株価は急騰しました。また2月12日にも日本の全上場企業の経常利益が押しなべて19％増だと報じています。株式にとっては大きな情報です。しかし、何度も言うように、これだけでは勝てません。主食はテクニカル分析です。以上のような情報はおかずなのです。

●市場の基本原理は“競争”

シニアには申し上げる必要のないものと思いますが、ある年代には何らかのマニュアルに従いさえすれば、必ず成功すると安易に考えている人たちがいるのも事実です。するとテクニカルはマニュアル化しやすいので、マニュアルさえ守れば100％成功すると信じている方たちがいるというのも事実です。

しかし、株式売買は市場経済原理の元に行われております。その

表10

市場経済の原理

○働かない者は食うな
○能力のない者は、ある者に比して収入が減る
○強い者が弱い者に勝つ
○強欲とは美徳だ

日本的倫理観

○働けない人を社会救済する
○能力の有無は人間としての価値の差ではない
○弱い人を助ける社会的なコンセンサスがある
○強欲は醜い

基本的な原理は“競争”なのです。

表10に示すように、このような市場原理の支配する株式取引の現場に、マニュアルさえ守れば誰かが儲けさせてくれると信ずる人種は弱者なのです。そういう人は市場原理からの報復を受けるのです。

特に、従来からの日本人の持つ倫理感を遺伝子として植えつけられているシニアには厳しい社会構造です。しかし、若いシニアの方は、すでにグローバル化した経済社会の洗礼を受けておられることと思いますので、心配は杞憂かと思っております。

●シニアの特権

最低限取る新聞は日本経済新聞、買う情報は四季報、会社情報のどちらか、これもCD-ROMで買えば直ちに自分のパソコンにダウンロードして早く見ることができます。これら以外の書店に並ぶ情報誌も結構ですが、要はこのような情報よりはるかにテクニカルによる判断のほうにウエイトを置くのです。

それにはインターネットによる以外に方法はありません。ザラ場中、毎日の時々刻々変化する株価の動向を観測し、これをテクニカルに判断し、また上記のようなファンダメンタル情報も参考にする。これらがシニアが成功する手段なのです。

皆様はいろいろな業務に関与されて今日に及んでいます。この経験は非常に価値のあるものです。営業畑の人は広く経済の基本を体験されたでしょう。製造業の方は、市場に公開されている企業のことを直接的に、また間接的に人よりよく知ることができたでしょう。技術畑の人は、ある企業の技術がどのくらい価値があるのか、将来展望があるのかないのか、金融業の方は急速に浸透したグローバルな金融構造で日本の金融はどのように変化するのか、これらの知識はみな株式取引に有効に働きます。あるいは主婦の方は消費関連銘柄の情報には、特別な感覚をお持ちです。これも大いに役に立ちます。

テクニカル分析によってある企業の株式に興味を持ち、仕込んでやろうと思っている。しかし「なぜこんなに安いのか、自分の知るあの関連企業に比べると株価が評価されていないのでは」と感ずる。あるいは、この企業はあの技術を持っているのにまだ評価されていない、株価に反映していない。なぜだろう、などと考えるのはシニアのできる特権なのです。

その他、ありとあらゆる業界に関しての情報、また日常接する商品に関する情報も株価の判断には重要です。

6 インターネット取引に必要な環境

●株取引に特化した環境づくり

言うまでもなく、インターネット取引にはパーソナル・コンピュータ（以下パソコンないしPC）と、それを世界的なインターネット網（www=world wide web, 世界に広がるくもの巣）に接続する手段が必要です。これによって、朝5時過ぎになると昨日のアメリカのニューヨーク・ダウ・ジョーンズはどうだったか、ハイテク企業の多いナスダックはどうだったか、などを知ることができます。それらの動きは当然本日の日本の相場に反映されます。

このインターネットについては専門家が書いた各種の参考書が売り出されておりますので、それを参考にしていただければと思います。本書では、株取引に特化した環境をご紹介して、シニアが始めるときの参考にしていただこうと思います。

参考までに、2004年11月からMM法を紹介し、その活用法をお教えし、共に運用の喜びを知るためのホームページを立ち上げました。「MM倶楽部」です。その会員にはあらゆる年齢の方が参加されていますが、やはりPCの取り扱い、また株価分析ソフトの使い方についてはお悩みの方が多いようです。そのことを重々承知の上で話を進めます。

PCは現在非常に安くなっています。ひと昔前には20万円以上したものが、今では10万円以下、数万円のものもあります。

株の取引はその取り扱う金額から、あるいはその特殊性から使いやすく、正確な無駄のないPCが必要です。その条件を列記します。

(1) 現時点ではPCに内蔵されているOS(基本的なソフト)は＜Windows XP＞が望ましいと言えます。これにはhome edition とprofessional とがありますが、どちらでも結構です。ホームエディションのほうが安価です。あえてプロフェッショナルを購入する必要はありません。

(2) さらに必要とするソフトは、Microsoft Office があります。これもホームエディションで充分です。

(3) PCの頭脳に相当するCPU（中央演算部）は購入する時期に応じて、最も高速なものから一段下のもので結構です。現時点では2.5GHzもあれば充分です。

(4) メモリー容量は最低256MBから、できれば512MBが望ましいです。

(5) ハードディスク容量は株取引にはそれほど必要としません。20GBもあれば充分です。

(6) 最初購入するPCは、その使用目的によっては、あらかじめいろいろなソフトが組み込まれています。たとえばゲーム用とか音楽配信に関するものとか、お遊び用ソフトです。これらは意外にPCの機能をそぎますので、できる限り単純なPCで充分です。

こんなPC環境が欲しい!

1. OSはWindows XPが望ましい
2. マイクロソフト・オフィス・ホームエディションが必要
3. CPUは2.5GHzあれば十分
4. メモリー容量は256MB〜512MB
5. ハードディスクは20GB〜40GB
6. 株取引専用として用意する
7. モニターは17インチの液晶

株取引用のPCは専用のものを用意されるのがよいと思います。息子、孫の払い下げは不適切です。

(7)モニターはシニア用として17インチが必要です。もはやCRT（従来型）より液晶形式のもののほうがよいでしょう。これも安価になりました。

以上はごく簡単にインターネット株取引をするのに必要なPCの環境をお示ししましたが、これで取引するには株取引に必要なソフトを証券会社からダウンロードする必要があります。証券会社によっては、自社の持つサーバー（一種のコンピュータ）上に相当重いソフトを常駐し、これを投資家が使うものと、同様に必要なソフトを証券会社から自分のPCにダウンロードして保存するものとがあります。

前者は証券会社の看板のようなもので、かなり進んだ技術を誇っておりますが、重いソフトですので証券会社自身のサーバーの特性が悪いようでは問題です。よくトラブルを起こし、また取り扱いにも注意する必要があります。また最近はコンピュータウィールス防止のために、マイクロソフトが提供するWindowsにも対策が立てられていますが、すると証券会社提供のソフトとの整合性が問題になり、PC技術を知らない個人投資家には悩みです。

後者のものはどのようなPCでもまた、OSが旧いWindows 98でも結構ですが、証券会社のソフトは急速に進歩し、それなりに重くなっていますので、新しく設置されるなら先にご紹介したくらいのものを準備されるのがよいかと思います。一式で10万円くらいでしょうか。

●通信速度は重要

本書はテクニカル分析を重視しますが、中でもMM法はかなり高度なテクニカル分析手法です。これを満足させるソフトは上記の重いソフトに該当しますので、息子、娘さんのお下がりの古いPCは願いさげです。最新の武器を用意しましょう。また、これから述べる通信環境とも関連します。

インターネットに接続して証券会社と通信するには、通信速度が大変重要です。株取引は瞬時に変化する株価にフォローする必要から通信も高速が必要となります。私は株取引は１秒以内に決済できるのが望ましいと考えます。しかし、いくらこちら側で超高速にしても、証券会社のもつシステムの速度が遅いようでは問題になりません。少し前まではこのような貧困設備で営業する証券会社がありましたが、徐々に改善しているようです。

現時点で光ファイバーが望ましいのは言うまでもありませんが、ADSLでも充分です。これは人によって意見が異なると思いますが、私は実際の通信速度が数Mbpsあれば充分だと思います。しかし、この速度を獲得するには、ADSLの場合、受信点が電話局に近い（３km以内）必要があります。インターネット接続をサービスするプロバイダは、その地区のNTTの局内に占有回線を確保しており、局からの距離は通信速度を減速させます。光ファイバーはこれがありません。それでも100Mbpsと宣伝していますが、実際に信号を受ける速度はそれほどではありません。私はNTTの「ニューファミリー」という業務用でなく、家庭用の光ファイバーですが、現在測定すると16Mbpsです。ニューファミリーの平均伝送が21Mbsですので平均のようです。

写真は、光ファイバーを伝達する光信号を電気的な信号に変換するモデムと、複数のPCに信号を分配するルーターです。

●私のPCシステム

私自身の株取引用のPCシステムを参考までにお知らせします（I-4を参照のこと）。上記のルーターには主PC（デスクトップ）が繋がれ、さらにLANシステムと、別室に置かれた、また外部に持ち出すモバイルPCとの間に無線LANを構成しております。このシステムに至るには数年の期間を経過しておりますので、皆様が最初に設置され現実に株取引ができるのは、もっと簡単な設備で充分だとご認識ください。

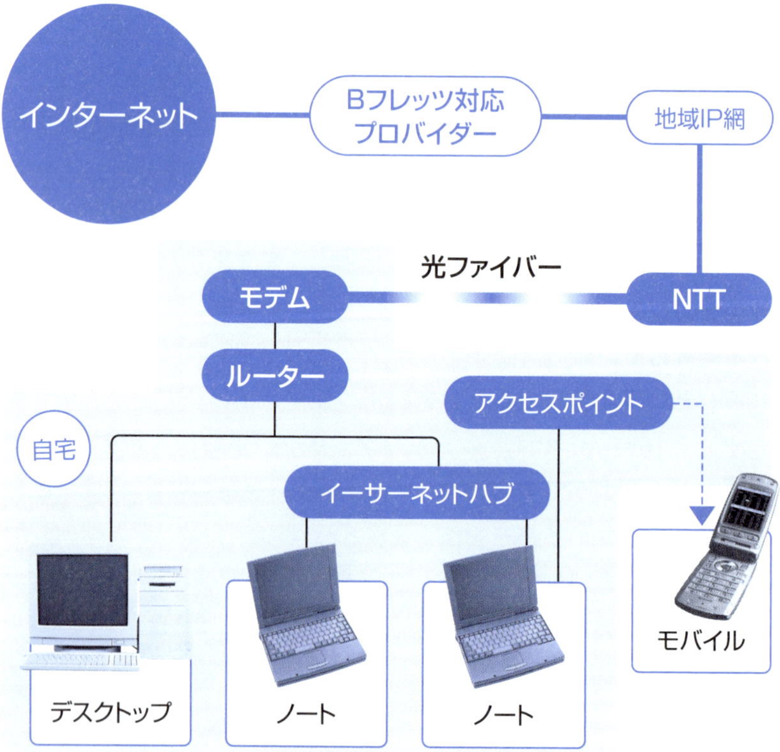

I-4

図I-5はこのシステムの通信速度を示したものです。

しかし、これはデータをダウンロードするときの下りの速度ですが、株取引にはこちらの信号を発する必要があり、この場合上り速度になりますが、それは4Mbpsくらいです。

実際にはこれで充分です。試しに公称40MbpsのADSLでやってみますと、下りの伝送速度は3Mbpsです。しかしこれでも通常の株取引にはどうにか通用しております。

しかし、取引に年季が入り充分な取引環境が欲しいとなると、複数のPCが欲しくなります。その1例を申し上げましょう。

1つの画面は約100銘柄くらいが一度に見渡せるモニターが必要になります。東証で3,000銘柄以上もある中から売買しようとする

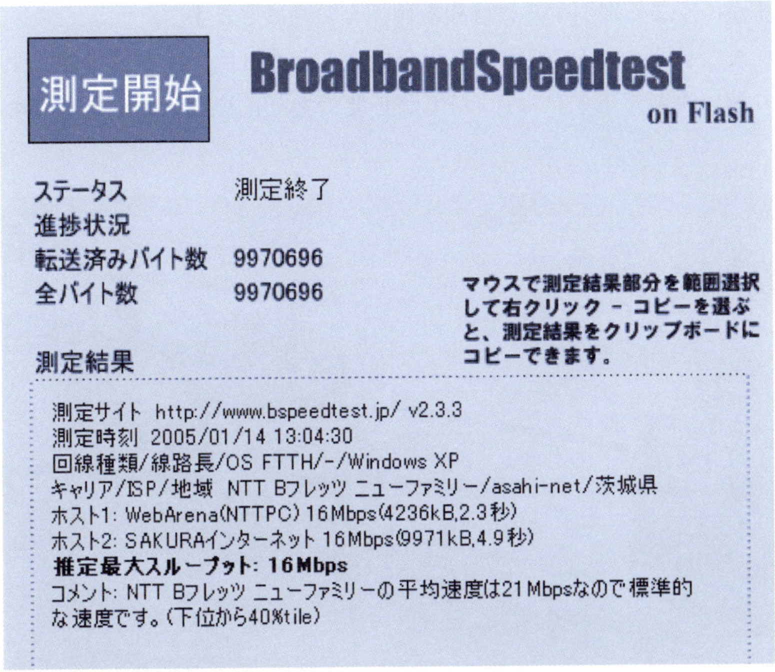

I-5

と、あらかじめ100銘柄くらいの観察が必要です。もちろん、この中にはすでに決めた売買候補銘柄は入っています。

人によっては10銘柄以上を買い物籠、売り物籠に入れて様子を見ている人もいれば、厳選した数銘柄に神経を集める人もいるでしょう。いずれにしても、常に候補銘柄の株価の動きを見なければなりません。

もし売買の瞬間が来ると直ちにトレードするわけですが、通常トレードするPC上の窓（ページ）と情報を分析する窓は異なります。これをリンクして１つのモニター画面に表示するように証券会社は工夫しますが、充分ではありません。

このために、モニター画面が複数必要になる場合が大いにあります。複数PCに１台のモニター画面を切り替えて見ることは可能ですが、うまく取引するには複数画面をお勧めします。

また、１つのPCで複数画面を見ることも可能ですが、可能な限り速い決断を下すには速いPCが必要であり、複数画面を見るため

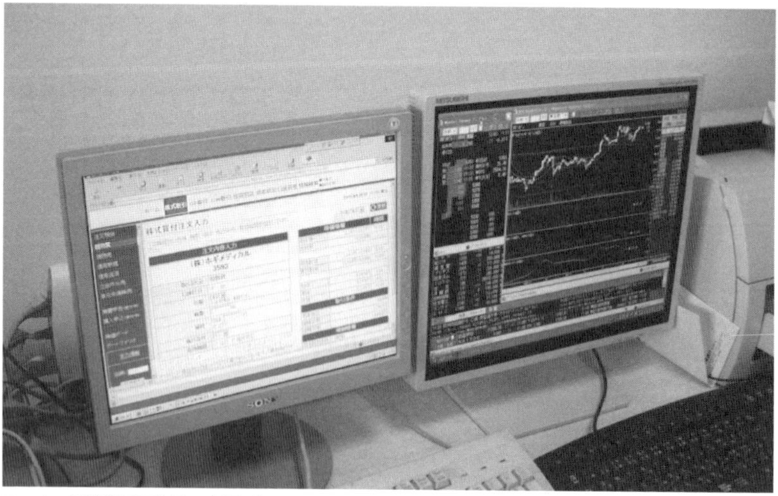

モニターは複数画面を見る必要がある

にPCのハード部分に重荷をかけるのは望ましくありません。それより今日ではPCそのものが株取引に必要とするソフトをすべてプリ・ロードしたものでも10万円以下で購入できます。複数のPCを使うことは、それほど経済的な負担にならないと思います。しかし、株を始めてすぐの人、あるいはビギナーがいきなりこのようなシステムを使うと、かえって混乱するかもしれません。しかし、いずれそうなるでしょう。

たとえば2台のPCを用いるなら、1台はデスクトップ型にして机の上に置き、これをメインPCとして、サブPCはモバイル型にする手もあります。外出するとき、あるいは出張するときも、このモバイルPCは大変役に立ちます。私のようなシニアが駅のベンチで、あるいはレストランでモバイルPCで株価検索をしていますと、若者が珍しそうに見ながらそばを通りますが、若干の優越感に浸るの

Pentium® 4 プロセッサ搭載、
19インチ液晶モニタ付き！
拡張性が高いデスクトップPC！
Dimension™ 3000
期間限定
1月20日まで
ご注文は特設オンライン・ストアより
いますぐクリック！
※画面はハメコミ合成です。
■HTテクノロジ インテル® Pentium® 4 プロセッサ 3E GHz
■Microsoft® Windows® XP Professional SP2 日本語版
■256MB DDR-SDRAMメモリ ■80GB IDE HDD
■デル E193FP 19インチTFT液晶モニタ
■DVD/CD-RW コンボドライブ
E-メール特別価格
税込価格：（税抜価格：85,695円）
89,980円
リースなら2,625円/60ヶ月(税込)（送料別：5,250円(税込)）
ご注文は特設オンライン・ストアより
512MBメモリ、コンボドライブ、
15インチ液晶ディスプレイ搭載！
実用性が高いオールインワンA4ノートPC！
Inspiron™ 1150
期間限定
1月20日まで
ご注文は特設オンライン・ストアより
いますぐクリック！
※画面はハメコミ合成です。
■インテル® Celeron® プロセッサ 2.40GHz
■Microsoft® Windows® XP Professional SP2 日本語版
■512MB DDR-SDRAMメモリ ■60GB HDD
■15インチ XGA 液晶ディスプレイ
■CD-RW/DVDコンボドライブ
E-メール特別価格
税込価格：（税抜価格：95,048円）
99,800円
リースなら2,835円/60ヶ月(税込)（送料別：3,675円(税込)）
ご注文は特設オンライン・ストアより

手頃な値段のPCで充分使える

も悪くありません。もちろん駅のベンチから株価検索のみならず株の売買も可能です。

また、株取引のみならず、PCである重要なビジネスをしようとすると、急に情報を失うことに大変な恐怖感が湧きます。たとえば1台のPCに取引履歴を入れていたとして、このPCが何かの原因で故障したときです。よくある事故として予期しないハードディスクの破損などありますが、もしこのデータを他の場所に保存していない場合大変なことになります。このときにも複数のPCがあれば大変心強いものです。まったく同じ情報を複数のPCに同時に保存しておくのです。多分あなたが株取引によって得られた情報を2台のPCに同時に保存したとしても、40GBの容量のあるPC（今日の標準）であれば10年間のすべての情報をお互いに保存することは容易です。

このように、複数のPC間で情報をやり取りしたり、モバイルPCをベッドの中に持ち込んだりしたいのであれば（私はこれを常時します。東京マーケットが寄り付く前に、NYマーケットの結果を朝一番に知りたいときなど）、複数のPCを有機的に結合して同時に自由に使用する必要があります。

その場合、インターネットの引き込み口に複数PCに同時接続できるルーターを置きます。もし他の部屋にあるベッド内で使用したいのであれば、このルーターを無線ルーターにして、モバイルPCに受信のためのカードを差し込めばよいのです。これらの設定には若干の知識が必要ですが、PCを購入したパソコンショップで有料設定してくれるそうです。いまさらシニアがパソコンのオーソリティになる必要はないでしょう。

これらすべての投資には1万円から2万円くらいが必要です。

column

株以外の金融商品の胡散臭さ

投資信託の惨憺たる結果

本書では、いきなり株式取引のことから書き始めました。しかし、皆様は株式取引の前にたとえば投資信託はどうか、あるいは他の金融商品はどうかなどと検討されたことと思います。なんといっても初めて証券投資を始めようとして証券会社に行くと、まずは投資信託を勧められるのが常道です。

2005年5月9日号の日経ビジネス付録誌にも、次のような対談が載っておりました。前述のように作家で経済評論家の堺屋太一氏がこれから定年を迎えてシニア入りする団塊の世代を次のように定義しています。「戦争と物資不足を知らない」「経済成長を疑うことがなかった」「先輩世代が作り上げた組織の中で働いた」世代だそうです。

この団塊の世代が年金生活に入るとどうするかを野村アセットマネジメントの社長と対談しているのですが、いわゆる「資金の蓄積時代から、運用の時代に入るには」として投資信託を推薦しています。私は「あいも変わらずだな」と思いました。どうしてそう思うかは以下に述べますが、その前に金融商品のなかで、なぜ私が「株式取引だ」というのか、その理由を一緒に考えてみましょう。

日経新聞には常時これら金融商品のことを詳しく報道していますので、皆様もすでに相当な知識をお持ちでしょう。しかし、こんな事実もあることを知って

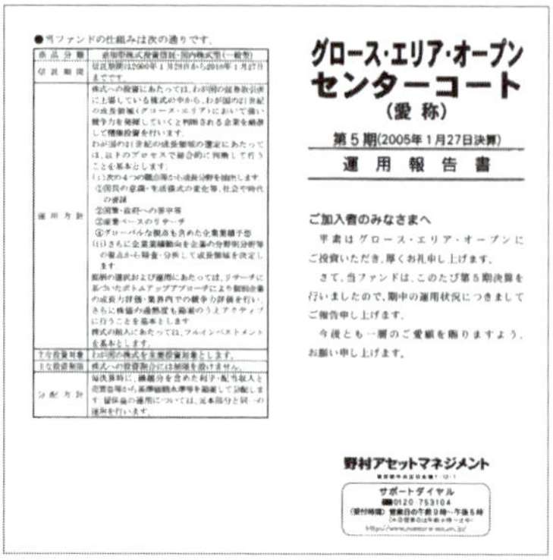

●当ファンドの仕組みは次の通りです。

商品分類	追加型株式投資信託・国内株式型（一般型）
信託期間	信託期間は2000年1月28日から2010年1月27日までです。
運用方針	株式への投資にあたっては、わが国の証券取引所に上場している株式の中から、わが国の21世紀の成長領域（グロース・エリア）において強い競争力を発揮していくと判断される企業を厳選して積極投資を行います。 わが国の21世紀の成長領域の選定にあたっては、以下のプロセスで総合的に判断して行うことを基本とします。 (i)次の4つの観点等から成長分野を抽出します。 ①国民の意識・生活様式の変化等、社会や時代の要請 ②国策・政府への要望等 ③産業ベースのリサーチ ④グローバルな視点も含めた企業業績予想 (ii)さらに企業業績動向を企業の分野別分析等の観点からも精査・分析して成長領域を決定します。 銘柄の選択および運用にあたっては、リサーチに基づいたボトムアップアプローチにより個別企業の成長力評価・業界内での競争力評価を行い、さらに株価の過熱度も勘案のうえアクティブに行うことを基本とします。 株式の組入にあたっては、フルインベストメントを基本とします。
主な投資対象	わが国の株式を主要投資対象とします。
主な投資制限	株式への投資割合には制限を設けません。
分配方針	毎決算時に、繰越分を含めた利子・配当収入と売買益等から、基準価額水準等を勘案して分配します。留保益の運用については、元本部分と同一の運用を行います。

グロース・エリア・オープン
センターコート
（愛称）

第5期(2005年1月27日決算)

運用報告書

ご加入者のみなさまへ

平素はグロース・エリア・オープンにご投資いただき、厚くお礼申し上げます。

さて、当ファンドは、このたび第5期決算を行いましたので、期中の運用状況につきましてご報告申し上げます。

今後とも一層のご愛顧を賜りますよう、お願い申し上げます。

野村アセットマネジメント

サポートダイヤル
0120 753104
〈受付時間〉営業日の午前9時～午後5時

いただきたいのです。これは私が買った投資信託のことです。

投資信託の成績は日経新聞に詳細が紹介されますし、またそれを専門に見ることのできるホームページもあります。その成績も各社投信によってまちまちです。したがって、私の選択したものが最善のものでもありませんし、また最悪のものでもないようです。しかし、その成績を申し上げます。

投資信託の名前は「グロース・エリア・オープン、愛称センターコート」というものです。その運用は野村アセットマネジメントです。以下述べる運用成績は2005年１月27日決算のものです。

孫のための長期運用

買う前から私は投資信託には反対でした。一度投信の運用責任者と銀座で同席する機会がありましたが、とても自分の資金を委託するような人物には見えませんでした。しかし、そう見えたのは彼１人だけで他には優秀な人間がいるのに違いない。なんといっても野村だからと思っていました。多くの人が何百億円もの資金をお任せしている事実があるのは否定しようがありません。

私が投資信託に反対しながら購入したのは、孫に生前贈与の枠内で何か買ってやろうとしたとき、たまたま当時まだ口座を持っていた某証券会社の営業マンから勧められたためです。正直なところ、私はこれが合理的な期間で値上がりするという期待は持ちませんでした。しかし、孫が大きくなったときには、と期待したのも事実です。

その結果を運用報告書から言うと、設定した2001年1月の基準価格1万円は、2005年1月時点で4,090円に下がっています。つまり価値は数年間の運用で半分以下になっています。どうですか、この投資信託の値下がりようは。

盗人に追い銭の信託報酬

投資信託の問題点はこの運用実績の悪さのみではありません。問題は信託報酬です。

購入時の手数料は証券会社、販売会社、委託銀行などにそれぞれ取られます。株式の売買手数料どころではありません。しかし、これはまだ許せるとして、問題は信託報酬です。

これは、基準値がいくら下がり客先に迷惑をかけても取るという決め方です。値上がりしたときに、それなりに報酬を要求するのは当然でしょう。しかし、自分の運用のまずさから値下がりしたものに報酬を要求するとは、彼らは通常の神経の持ち主ではありません。泥棒に追い銭のようなものです。このようなものが堂々と通用しているのが、投資信託という世界です。上記堺屋さんはこの事実をご承知なのでしょうか。

当初生前贈与の枠内、90万円投資した孫の投資信託は、その基準価格が半分以下になり、さらにこれを売り決済したとすると、上記信託報酬には20万以上払うことになるでしょう。投資信託とはそういうものなのです。

これ以上投資信託に奉仕する気はありません。株式売買のほうがはるかに胡散臭さがありません。私が金融商品の中でなぜ株式かと言った理由です。

私の悔しい経験

しかし、その株式取引も胡散臭さが残っていたのは事実ですが、最近になって急速にその匂いを消しつつあるのは、インターネットという手法で行うようになったからです。この投資信託の一例が象徴的に示すように胡散臭さを残す証券業界において、インターネットによる取引手法は画期的というより革命的なことなのです。

私はインターネット株取引が始まると、いの一番に申し込みました。そうした背景を今思い出しています。

あるとき、私はアメリカ出張があり、帰路たまたま口座を持っている証券会社に電話して相場状況を聞きました、「どうですか、今日本の相場は」と。これに対して「いま日本の株式市場は大きく上昇しています」という返事でした。「何が上昇している」「IT銘柄です。なかでもアルプス電気が有望です。絶好の買い場に来ています」

今このような状態になったとすると、世界のどこにいても即座にモバイル・パソコンを開いて口座情報を取り、アルプス電機のチャートを精査したことでしょう。だが、当時そのような道具は普及しておりませんでした。「よし判った。アルプス電気を1000株買おう。よろしく」と電話を切りました。

帰国し自宅に帰るなりパソコンを開いてチャートを見ました。なんと、私が買った時点では、アルプス電気の株価はチャートの天井に近いところに位置しています。当然、数日のうちに下がりました。

私は無念の思いを抱きました。海外からインターネットで株取引はできないものか。それも持ち運びのできるパソコンでできないものかと。

このインターネット取引を当初実現したのが野村證券であり、私も口座を野村ホームトレードに申し込んだ理由です。モバイル・パソコンは東芝の「リブレット」を使っていました。当時超小型で持ち運びができ、しかもWindows95を駆使してパソコン上に精密チャートを描けるものはリブレット以外にありませんでした。旧い話です。

商品ファンドも信用できず

ところでもう一つ金融商品の胡散臭さをご紹介します。それは商品先物のファンドです。

これは、私がインターネットと自分流のテクニカル手法で株取引ではかなり成績を上げていた頃のことです。あるとき、30％以上の年利が期待できる商品のファンドがあると知りました。しかも販売会社が三菱商事の子会社である、三菱商事フューチャーズ株式会社です。

私にとって商品のファンドは初めてのものであり、興味を持ちました。どんな運用をするのか。しかもそれは三菱商事の関連会社のものです。ちょっと試しにと最低金額を申し込みました。

結果をお見せします。ファンド名は「アルゴ・オープン」です。

契約は2003年1月。投資額は

三菱商事の商品ファンド
アルゴ・オープン
Argo・Open
追加型
契約成立時開示書面
2003年 1月 8日
商品投資販売業者
三菱商事株式会社
三菱商事フューチャーズ株式会社

50万円。現時点での評価損益は－66,748円です。つまり約2年で約7万円の損だということです。ただし評価損だけですよ。もし売れば、返ってくる金のなかから、投資信託のように追加経費が請求されるでしょう。それがいくらか調べるのも癪に障ります。

私は担当者に電話して、「こんな結果に、あなたがたは恥ずかしいと思いませんか」と、これに対する返事は相場がどうとか言っていました。しかし、いくら市場価格が下落しても、株式売買よりずっと安易に、売りによる利益を追求するのが商品先物の当たり前の手法です。私も商品取引は貴金属に限ってやっておりますが、こんな恥ずかしい結果は出しておりません。私は担当者に言いました。「この運用の期間アマチュアである私は、もっと利益を出しています。あなたたちは、プロではないのですか」と申し上げたのです。しかし所詮は負け犬の遠吠えです。

いずれにしても、投資信託といい、商品ファンドといい、その運用にはなにか胡散臭い匂いがします。近寄らないことです。株式を金融商品というのは抵抗がありますが、その他のものに比べるとはるかにクリーンです。ただし小型株、新規公開株などについては同様の匂いのするのを否定できませんが。

第2章

ネットで
株取引を実践する

1 どのオンライン証券を選ぶか

●リアルタイムでチャートが見られる

　いざ準備が整ったので取引を開始するとして、私たちはどこかのオンライン（あるいはネット）証券会社に口座を作る必要があります。その具体的な方法は後述します。

　その前に、株のインターネット取引実態はどのようになっているのかを調べてみましょう。

　まずネット証券のシステムは証券取引所に接続されていますが、私たち投資家が各証券会社と契約して口座を持つと、そのシステムの情報を自宅のパソコンのモニター上に見ることができます。この情報は時々刻々変化しておりますが、真にリアルタイムで見るためには、前にも述べましたように投資家はそれ相応の速さを持ったパソコンと、情報を高速で伝達できる通信環境が必要です。

いわゆる無料の株価情報は、Yahooその他の情報関連ホームページから入手することが可能です。しかし10分以上の遅れがあります。しかも、職場から帰宅し、おもむろに本日の終《おわり》値《ね》を見て判断しながら取引をする人には、リアルタイムの株価を知る必要がありません。また事実テクニカル分析を行う株価ソフトの中には、このように当日の終値をダウンロードして表示するものもあります。一例として東洋経済の発行する「株価チャートCD-ROM」もこの部類に入ります。

しかし、自宅でリアルタイムのザラ場（相場が開いている間）情報を知り、真に取引されている現場と直結した感覚で取引したいのであれば、このような方法では不可能です。現在では証券会社に取引口座を持つと、口座の維持経費（無料のところが多い）以外に情報料を取られます。この情報の中身はリアルタイムの株価のみでなく、板情報、つまり取引所での売買気配、その時点での出来高、またテクニカル分析を主とする投資家のために、リアルタイムでのチャートを見ることもできます。

Ⅱ-1図に示されたのは約2日分の5分足チャートですが、このようなものがリアルタイムに表示され、特に超短期の取引を特徴とするデイトレーダーは、このようなチャートを武器として仕掛けているのです。その説明は後述します。

かつて個人投資家の中には特別に株取引を専門とし、自宅に専用線を引きこみ、常時株価の変動を監視するいわば職業的な投資家もおられましたが、これは証券会社の店頭を自宅に引きこむようなもので、一般の投資家には経済的にもできませんでした。これがインターネット時代になって同じ性能のものが非常に安い経費で可能になったのです。

デイトレーダーはこういう動きの激しいチャートを使う

Ⅱ-1（5分足チャート）

●指値注文と成行注文

少し株取引の具体的な事例を申し上げます。すでにI-1（15頁）に示したのは、松井証券のネットストックトレーダを自分のPCの画面上に呼び込んだものです。図は1つの画面上で10銘柄を表示していますが、全部で20画面を切り替えることができるので、200銘柄の株価情報をリアルタイムで見ることができます。

これを見ると、各証券取引所と接続されているシステムによって、私たちはどの銘柄が、どのくらいの価格で何株売りに出されているのかがリアルタイムで判ります。

同時に、これを買いたいという投資家が、いくらの価格で何株買いたいか、というのが判ります。これを売買気配《けはい》値とも板情報とも言います。I-1図では売買それぞれ5本の気配値を表示しています。

すると、これを見たあなたが、いくらなら買えるなと思えば、その価格をパソコンを通して注文し、システムによって売買が成立すればその価格で買うことができます。

しかし、同様な条件での買い方はあなた一人ではありません、大勢います。すると、早く申し込んだ順に成約されていきます。したがって、どうしてもこの株を買いたいと思うときには、人より売り方の価格に近い、より高い買い価格をオファーすればよいのです。

だが現実には、このように簡単にはいきません。売り方の価格は時々刻々変化するからです。どうしてもある銘柄を買いたいと思うとき、たとえば売り方の最も安い株価が500円で、買い方の最も高い株価が499円とすると、あなたはもう少し安い株価、つまり498円で欲しいとしてオファしても直ちには買えません。売り方がすべての買い方の499円での注文に応じたあとに、498円の株価が最も高い買い方の価格だということになります。場合によっては、あなたはこの株を498円で買うことができます。

株の売買成立の条件

このような取引を「指値《さしね》注文」と言います。

ですが、あなたが現在のこの株価から判断して、当該銘柄は安く評価されすぎている、実勢価格はもっと高いと判断し、価格を重視するより、なんとしてもその銘柄を欲しいと思う時には、上記の「指値注文」でなく「成行《なりゆき》注文」を出すことができます。これは、別の表現では売り方の価格で買いましょうという取引です。したがって、この成行注文は指値注文より優位に立っており、注文すればほとんど瞬時に成約できます。

Ⅱ-2図は松井証券の注文ページを一例として示したものです。指定の枠内に上記の指値の場合には金額を、成行はチェックを入れます。

参考までに、野村證券の注文画面（Ⅱ-3）も示しておきます。図

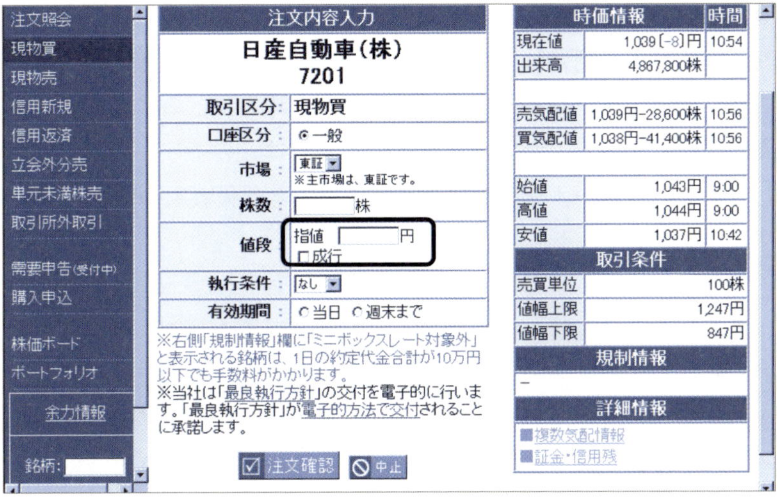
注文照会
現物買
現物売
信用新規
信用返済
立会外分売
単元未満株売
取引所外取引
需要申告(受付中)
購入申込
株価ボード
ポートフォリオ
余力情報
銘柄:
注文内容入力
日産自動車(株)
7201
取引区分: 現物買
口座区分: 一般
市場: 東証
※主市場は、東証です。
株数: 株
値段: 指値 円
成行
執行条件: なし
有効期間: 当日 週末まで
※右側「規制情報」欄に「ミニボックスレート対象外」と表示される銘柄は、1日の約定代金合計が10万円以下でも手数料がかかります。
※当社は「最良執行方針」の交付を電子的に行います。「最良執行方針」が電子的方法で交付されることに承諾します。
注文確認
中止
時価情報
時間
現在値 1,039[-8]円 10:54
出来高 4,867,800株
売気配値 1,039円-28,600株 10:56
買気配値 1,038円-41,400株 10:56
始値 1,043円 9:00
高値 1,044円 9:00
安値 1,037円 10:42
取引条件
売買単位 100株
値幅上限 1,247円
値幅下限 847円
規制情報
－
詳細情報
複数気配情報
証金・信用残

II-2

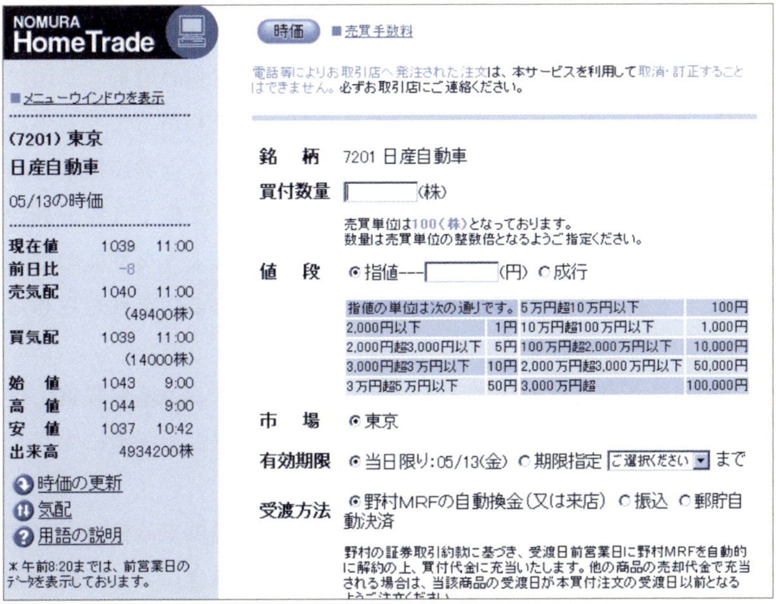
NOMURA
HomeTrade
メニューウインドウを表示
(7201) 東京
日産自動車
05/13の時価
現在値 1039 11:00
前日比 -8
売気配 1040 11:00
(49400株)
買気配 1039 11:00
(14000株)
始　値 1043 9:00
高　値 1044 9:00
安　値 1037 10:42
出来高 4934200株
時価の更新
気配
用語の説明
＊午前8:20までは、前営業日のデータを表示しております。
時価
売買手数料
電話等によりお取引店へ発注された注文は、本サービスを利用して取消・訂正することはできません。必ずお取引店にご連絡ください。
銘　柄 7201 日産自動車
買付数量 (株)
売買単位は100(株)となっております。
数量は売買単位の整数倍となるようご指定ください。
値　段 指値---(円) 成行
指値の単位は次の通りです。
2,000円以下 1円
2,000円超3,000円以下 5円
3,000円超3万円以下 10円
3万円超5万円以下 50円
5万円超10万円以下 100円
10万円超100万円以下 1,000円
100万円超2,000万円以下 10,000円
2,000万円超3,000万円以下 50,000円
3,000万円超 100,000円
市　場 東京
有効期限 当日限り:05/13(金) 期限指定 ご選択ください まで
受渡方法 野村MRFの自動換金(又は来店) 振込 郵貯自動決済
野村の証券取引約款に基づき、受渡日前営業日に野村MRFを自動的に解約の上、買付代金に充当いたします。他の商品の売却代金で充当される場合は、当該商品の受渡日が本買付注文の受渡日以前となる

II-3

は日産自動車株を買うときのものですが、注文形態の指値、成行の表示と共に、左側には複数気配を同時に見ることができ、投資家はこれを見ながら、つまり自分が買い方なら味方はどのような戦略で買おうとしているのか、また敵方の売り方はどのような金額を提示してきているのか、などを見ながら取引できる優れものです。

●ソフトに2タイプあり

以上の取引は通常のものですが、それでも、あれこれ考え込んでいる間にも株価は変動します。もっと極端には、注文を出しても思う通りにならないことだって起こりえます。したがって安定した高速のパソコンと通信手段が必要なのです。注文を出そうとしている緊張した場面で、PCが言うことを聞かなくなる時（たとえばフリーズ）などは悲劇です。最近の高速パソコンはこの恐れが少なくなっています。

しかし、いくら高速環境を用意しても無駄な場合があります。それは、情報を提供する証券会社のシステムが、客先の用意した環境ほど高速でない場合があるからです。今日、私たちがどこでも手に入れることのできるパソコンは、その機能速度は、企業が扱うものとほとんど変わらないものができているのです。このように証券会社も、一般投資家も、その規模は別としても同じような性能のコンピュータを持つことが、インターネット株取引に革命をもたらした要因の１つと思われます。

一般的に証券会社の提供するソフトは、大別すると情報収集に重点を置いたものと、投資家の考えを重要視して取引を円滑にすることに重点を置いたものとがあります。

各種のソフトウエア製作を専門とする会社の提供する株対応ソフトは、全体として見ると充実しておりますが、場合によっては投資家の気持ちを知らないものがあります。システムの充実を計るあま

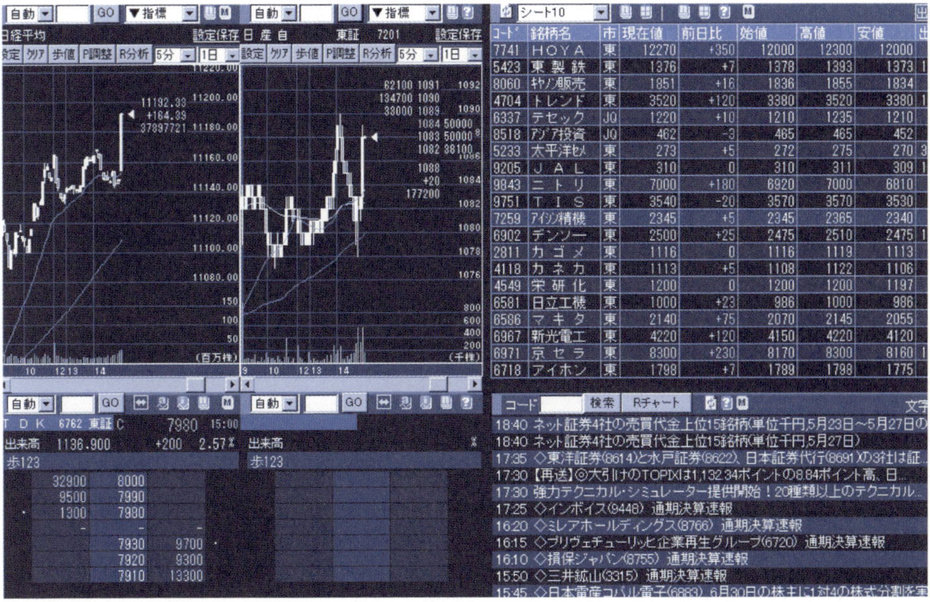

り、ソフトが重くなり投資家の速いスピードに応じ切れないものもあります。

反対に、歴史的に投資を主なる業務として成長してきた会社の提供ソフトは、投資家には非常に使いよいものとなっています。

したがって、どの証券会社を選ぶかはについて、投資家は自分の感性に合致したものを選ぶ必要があります。

図は左上に例としてザラ場での日経平均と、日産自動車の株価の変動を比較したチャート、左下には日産自動車の株情報、右下には時々刻々と発表されるニュースが示されています。

●手数料と保証金はいくらか？

一般に、個人投資家に人気のあるネット証券会社を選ぶのが賢明でしょう。参考のために表11に2005年2月6日のSUNDAY–NIK

	野村證券	大和証券	イー・トレード証券	マネックス証券	松井証券
手数料 売買代金 50万円	4042円	3018円	735円	指値は代金の0.1575% 成行は0.105%	10万円まで無料、 300万円まで1日3150円
同 売買代金 50万円	8085円	6037円	945円		
口座 管理料	1575円	1575円	無料	無料	無料

表11

KEI－αより抜粋したものを載せました。

これを見ると売買に伴う手数料が各社相当異なるのが判ります。インターネット時代の以前から存在する証券会社の手数料は高く、インターネットだけで運営するいわゆるネット証券は手数料が安いのが通例です。それは前者がインターネットのみならず、対面取引、いわゆる店頭で顧客との間に営業活動をする経費を見ているのに対して、純粋ネット証券はそのような経費が不要になるからです。極端には店舗も投資相談のプロの経費も不必要だからです。

オンライン証券会社を選択する最も重要なファクターは、取引手数料はいくらか、信用取引の保証金はいくらか（上記の表には信用取引のことが記載されておりません）、株取引に必要な情報コンテンツがどの程度充実しているか、などです。

このうち前述のように手数料の安さはオンライン取引の最重要ポイントです。単に取引に伴う経費の発生の問題のみならず、この手数料の多寡によって取引戦略も変わるからです。

たとえば「デイトレード」と言われる超短期売買手法があります。デイトレードとは原則的に１日のうちに売買を完了する取引のことです。明日はどうなるか判らない。本日の相場が引けた後に当該企業が減益を発表する。すると、次の日の株価は確実に下がる。場合によっては暴落する、などの危険を嫌うためです。

この種の投資家は、中長期で10％以上の値上がりを狙うような作戦を取りません。1,000円の株価の銘柄で、10円以下の値幅を取ればよいのです。1,000株では1万円以下の利幅です。そのような取引を1日あたり何回も繰り返します。

もちろんこの中には上手く成功したものと、思惑通りに行かなかったものと、利益を出したが不足したものなどあり、充分成功したのが5回あるとすると、1日の稼ぎは5万であり、月間100万円になります。

彼らは、狙う企業の業績がどうであれ、将来展望がどうであれ、そのようなものに関心がありません。現在この企業の株価は上がりつつあるのか、ないのかが関心事です。上がると判断すれば、どんな局面であれ買いを入れます。このような投資家にとっての売買手数料はキーポイントです。証券会社もデイトレーダーのために、成約された取引価格に何％という手数料でなく、1日いくら取引を繰

デイトレーダーの利益の出し方

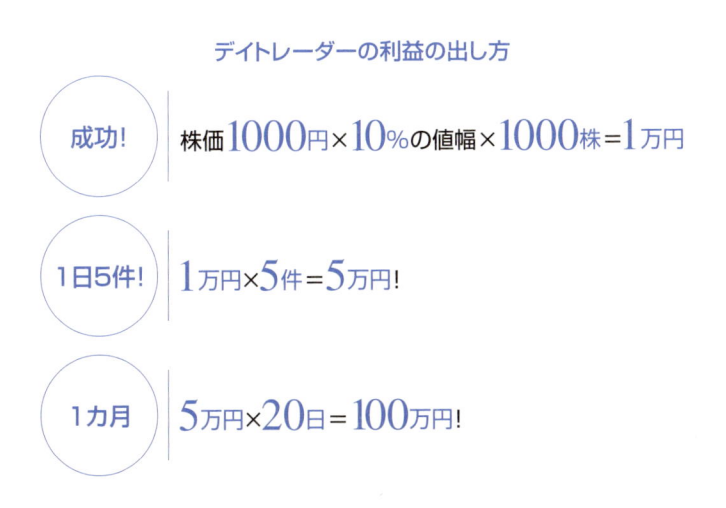

成功！	株価1000円×10％の値幅×1000株＝1万円
1日5件！	1万円×5件＝5万円！
1カ月	5万円×20日＝100万円！

り返しても手数料はたとえば3,000円一定にするというようなところもあります。

このように手数料は取引形態に非常に影響を与えます。

私はシニアの株取引の戦術は、短期売買をお勧めしました。デイトレーダーほどではありませんが、それでも頻度の高い取引ですので、高い手数料にはストレスを感じ、とても優雅に取引を楽しむことができません。

信用取引の保証金についても同じです。信用取引というシステムの基礎的な目的は、金融ビジネスに共通のレバレッジを利かせるためのものです。レバレッジとはテコの原理で、わずかな資本で大きく取引をする手法です。しかし、それが故に成功時の利益は大きいですが、失敗時には人生を変えるほどの問題になることがあります。

この原理は後ほど詳述しますが、証券業界はこの信用取引をプロかセミプロのみに許し、個人投資家には難しい関門を設けてきました。

まず信用取引口座を開くには、数千万円の保証金が必要で、対象は失敗しても社会問題にならないような富裕顧客、また会社のような組織のみに可能なようにしたのです。個人投資家のちょっとした思い付き、軽い気持ちでの参加はお断りでした。滑稽なことに、現在でも70歳以上の個人投資家の信用取引を拒否する証券会社も現実にあります。

しかし、心配された信用取引もネットトレードではそれほど危険なものではなくなりました。それも革命的なことです。

2 口座開設は簡単

●口座開設の手順（松井証券）

実際に口座開設をする手段は次の通りです。証券会社によって若干異なりますが、おおよそのところは同じです。

ネット証券のパイオニアである松井証券から例をとります。

アドレスである**http://matsui.co.jp/**を開くと、Ⅱ-4図に示したようなトップページが現れます。

線で囲ったところに口座開設が見えます。これをクリックすると、次ページには「口座を開くには」が現れます。このなかに「個人のお客様」向けの入り口があり、これをクリックして次に入ると、説明、入力1、入力2、入力3、確認、完了と続き、後日「口座開設申込書」が郵送されてきます。これを記入して返送すると、口座開設のお知らせが来ます。そのなかには取引番号とパスワードが知ら

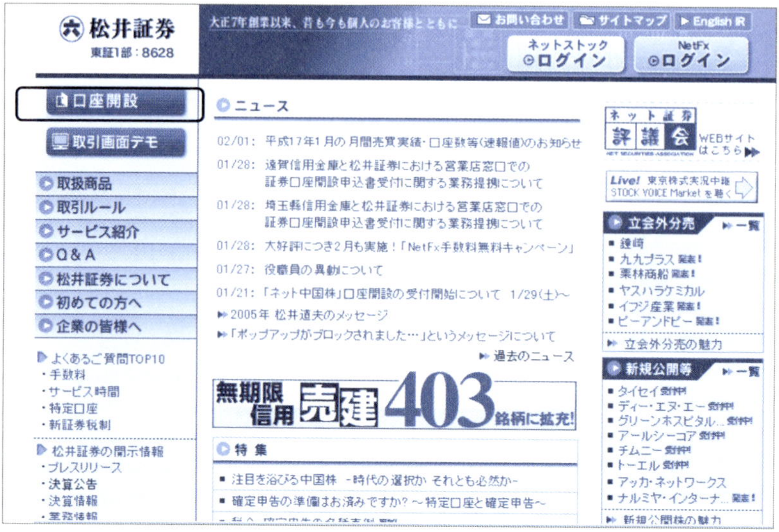
松井証券
東証1部：8628
大正7年創業以来、昔も今も個人のお客様とともに
お問い合わせ
サイトマップ
English IR
ネットストック ログイン
NetFx ログイン
口座開設
取引画面デモ
取扱商品
取引ルール
サービス紹介
Q & A
松井証券について
初めての方へ
企業の皆様へ
よくあるご質問TOP10
・手数料
・サービス時間
・特定口座
・新証券税制
松井証券の開示情報
・プレスリリース
・決算公告
・決算情報
ニュース
02/01: 平成17年1月の月間売買実績・口座数等(速報値)のお知らせ
01/28: 遠賀信用金庫と松井証券における営業店窓口での証券口座開設申込書受付に関する業務提携について
01/28: 埼玉縣信用金庫と松井証券における営業店窓口での証券口座開設申込書受付に関する業務提携について
01/28: 大好評につき2月も実施！「NetFx手数料無料キャンペーン」
01/27: 役職員の異動について
01/21: 「ネット中国株」口座開設の受付開始について 1/29(土)～
2005年 松井道夫のメッセージ
「ポップアップがブロックされました…」というメッセージについて
過去のニュース
無期限信用 売建 403 銘柄に拡充!
特集
注目を浴びる中国株 -時代の選択か それとも必然か-
確定申告の準備はお済みですか？～特定口座と確定申告～
ネット証券 評議会
WEBサイトはこちら
Live! 東京株式実況中継
STOCK VOICE Market を聴く
立会外分売
一覧
鐘崎
九九プラス
栗林商船
ヤスハラケミカル
イワジ産業
ピーアンドピー
立会外分売の魅力
新規公開等
一覧
タイセイ
ディー・エヌ・エー
グリーンホスピタル...
アールシーコア
チムニー
トーエル
アッカ・ネットワークス
ナルミヤ・インターナ...

Ⅱ-4

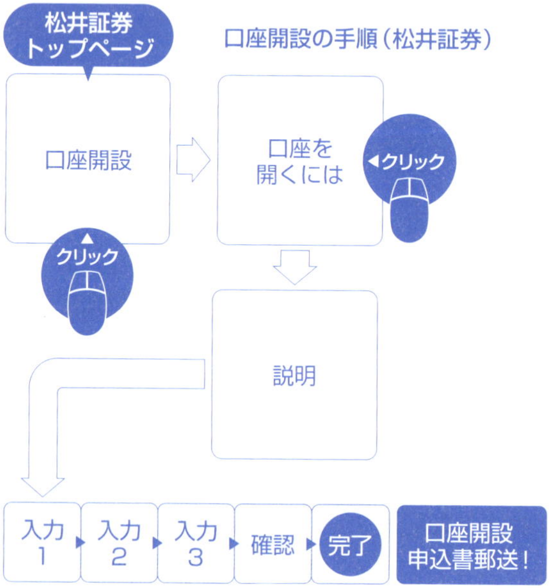
松井証券
トップページ
口座開設の手順（松井証券）
口座開設
クリック
口座を
開くには
クリック
説明
入力
1
入力
2
入力
3
確認
完了
口座開設
申込書郵送！

されております。以上で完了です。

口座開設には約１週間かかります。言うまでもなくその後は直ちに取引ができますが、注文相当額の金額をあらかじめ振り込む必要があります。

●口座開設の手順（野村證券）

次はネット証券というより、通常の大手証券である野村證券を紹介します。野村はインターネット用に「野村ホームトレード」のページを用意しております。野村のホームトレードの特徴は、非常にセキュリティを重要視しており、筆者には若干滑稽に感じるほどです。

http://www.nomura.co.jp/hometrade/

これにアクセスすると、II-5図に示すように、「利用申し込み」の方法を教えてくれます。

野村證券のインターネットは他のネット証券とは異なります。まず口座は野村の支店に対して開設します。野村ホームトレードのシステムの問題点については、ホームトレード専用の部署が全国に１つあり、問題発生に対処してくれます。しかし、取引関係はすべて口座を持つ支店との間です。

通常ネット証券は経費節減のために対面営業、つまり売買銘柄の相談をしません。しかし、野村はしてくれます。

また野村のホームトレードは非常にセキュリティを重要視します。したがって、申し込みは上記のアドレスからできますが、一旦口座を作りトレードするときには、これと異なるホームページで行うことになります。そのときのログインには、個々の投資家に発行された電子証明書あるいはセキュリティ番号などを用いることになります。いずれにしても口座開設には文書によるものが必要です。ですがそれほど大変でもありません。銀行に口座開設するのと大差ないでしょう。

Ⅱ-5

●口座開設の手順（ORIX証券）

次に比較的新しいネット証券であるORIX証券の場合を紹介します。

ORIX証券は、情報サービス大手のCSK（9737）が作った比較的充実した分析ソフトを持っております。プロが使っても文句のないものでしょう。しかし、ソフトが重く投資家の持つPCによくフリーズを起こさせます。したがって、短期売買の個人投資家には問題がありますし、また取引ページ１つを取ってみても、株取引をする人のためというより、システムづくりの人の感性が匂うものです。

このソフトは、松井証券にも、MONEX証券にも、日興ビーンズ証券にも採用されております。

口座開設の方法は他の証券会社と異なりません。Ⅱ-6図の口座開設資料請求から次の場面を開くとⅡ-7図のようなものに変わります。

個人の申し込みはマークしたところを開けば親切に教えてくれます。しかし、ネット上での申し込みはできません。書類請求による申請が必要です。

ORIX証券は最近、取引手数料を極端に安くする営業戦略で顧客を増やしており意欲的です。もう少し投資家の取引に利便性を付加したシステムが完成すると素晴らしいと思います。

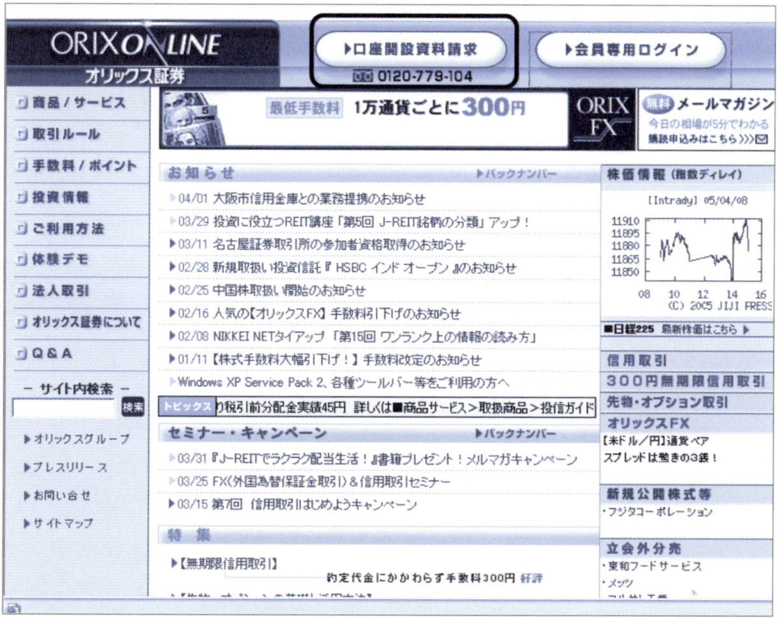

Ⅱ-6

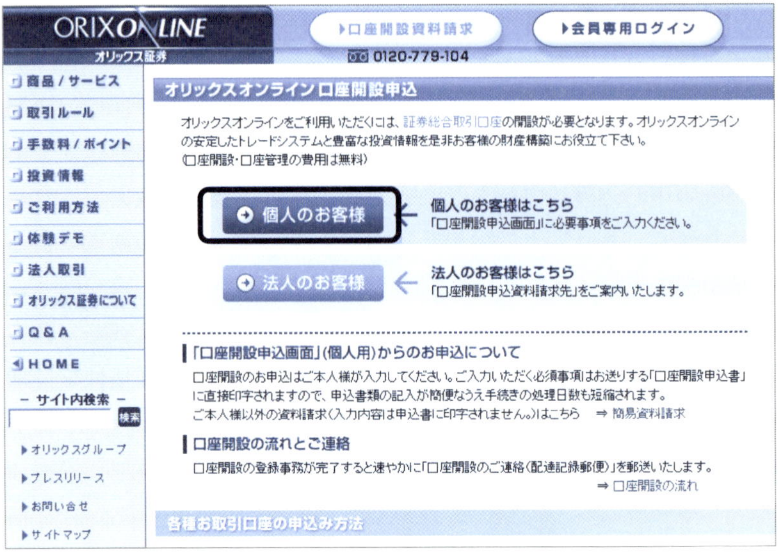
ORIXONLINE
オリックス証券
▶口座開設資料請求
▶会員専用ログイン
0120-779-104
商品／サービス
取引ルール
手数料／ポイント
投資情報
ご利用方法
体験デモ
法人取引
オリックス証券について
Q&A
HOME
－ サイト内検索 －
検索
▶オリックスグループ
▶プレスリリース
▶お問い合せ
▶サイトマップ
オリックスオンライン口座開設申込
オリックスオンラインをご利用いただくには、証券総合取引口座の開設が必要となります。オリックスオンラインの安定したトレードシステムと豊富な投資情報を是非お客様の財産構築にお役立て下さい。
(口座開設・口座管理の費用は無料)
個人のお客様
個人のお客様はこちら
「口座開設申込画面」に必要事項をご入力ください。
法人のお客様
法人のお客様はこちら
「口座開設申込資料請求先」をご案内いたします。
「口座開設申込画面」(個人用)からのお申込について
口座開設のお申込はご本人様が入力してください。ご入力いただく必須事項はお送りする「口座開設申込書」に直接印字されますので、申込書類の記入が簡便なうえ手続きの処理日数も短縮されます。
ご本人様以外の資料請求(入力内容は申込書に印字されません。)はこちら ⇒ 簡易資料請求
口座開設の流れとご連絡
口座開設の登録事務が完了すると速やかに「口座開設のご連絡(配達記録郵便)」を郵送いたします。
⇒ 口座開設の流れ
各種お取引口座の申込み方法
Ⅱ-7

3 信用取引では"売り"でもチャンスがある

●30万円の保証金

昔、信用取引はプロとかセミプロの手法と考えられてきました。信用取引のための資本も相当なものでした。ところが、インターネット時代になって個人投資家にも、あるいは極端に言えば高校生にもできるようになって来ています。それは信用取引が大衆化したためです。

信用取引とはあらかじめ担保（委託保証金）を入れておき、手元資金の何倍もの取引ができるものです。これを専門用語でレバレッジ（てこの原理）と読んでいます。

具体的には売買したい金額の30％以上の保証金が必要ですが、これを用いて原理的には保証金の3.3倍まで取引ができるということになります。

たとえば現物で株価1,000円の株式を1,000株買うとすると100万円の資金が必要です。しかし信用取引では、約30万円入れておけば約100万円分の取引ができるのです。

したがって過小資本の個人投資家にはうってつけのシステムです。この保証金はかっては、数千万円も必要としました。現在でも各大手証券会社間には若干の差はありますが、この保証金は相当高く個人投資家が払えるような額ではありません。しかし、ネット証券では30万のところが多くなっています。つまり高校生でも可能というわけです。

信用取引の最大の利点は、買いと同時に売りによっても利益を計上できるということです。つまり現金で買う現物取引は買いしかできませんが、信用取引では売り（カラ売り）で利益を得ることができます。原理は次の通りです。

今相場が下げているとします。すると、この局面で買って利益を上げることのできる銘柄はそれほど多くありません。相場が下げているときには多くの個別銘柄が日経平均にスライドして値を下げます。すると買った場合、損が発生します。

しかし信用取引で売っておいて、さらに値下がりしたときに買い戻すと、その差分の利益を取ることができます。たとえば1,000円の株1,000株をカラ売りしておいて、900円に下がったときにそれを買い戻すと、(1,000円－900円)× 1,000株＝10万円の利益を出すことができます。

一昨年までの金融不安時に銀行株をカラ売りして莫大な利益を上げたという話は有名です。

カラ売りとは、持っていない株を売ることで、その株を証券会社から借りるわけです。これを売るわけですからカラ売りと言っています。

このように相場が下落してるときでも、また上昇しているときで

信用取引におけるカラ売り（下げでも儲けることができる）

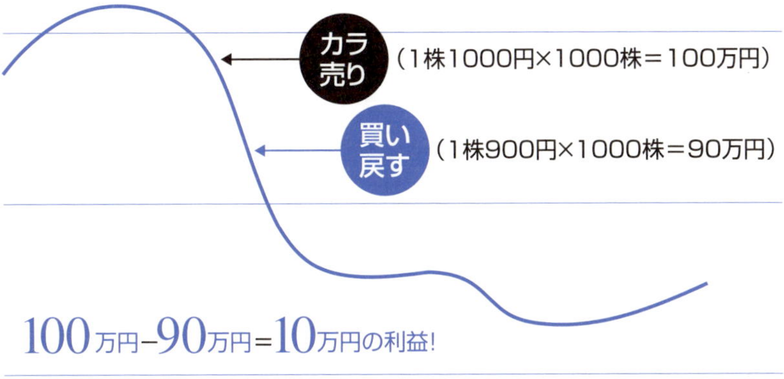

も、どちらでも常時利益を出すことのできるシステムは非常に有利です。

また相場が下がり、すでに買った株が値下がりして損を出すと思った時は、同じ株式を同じ量カラ売りしておけば、それによる損失は限定することができます。このような手段は株式取引ではよく使い、リスクをヘッジ（両方に賭ける）すると言います。つまり保有株では値下がりで損を出しますが、カラ売りでは同額の利益を計上できます。一種の保険のようなものです。

株式はいつどんな理由、どんな発表材料で値下がりをするかしれません。したがって、値下がり時においても利益を出すことのできる信用取引によるカラ売りを組み合わせる手段を覚えておくと、有効な場合もあります。

かつては、「信用取引は危険だ」と個人投資家を受け入れにくい環境にしていましたが、その理由は次のようなものです。

買いの場合の損失は株式の値下がりの場合ですが、最大の損失は株価がゼロになったときです。つまりそれが被る損失の最大です。

しかしカラ売りの場合の損失は、株価が値上がりするときですが、値上がりは理論的には際限がありません。つまりカラ売りの損失は無制限なのです。これが、過小資本で取引する個人投資家に薦められなかった理由の１つです。

図Ⅱ-8は巴コーポレーション（1921）を例として示しました。

株価は2004年８月18日までは170円前後で推移しておりましたが、その後急に上昇して９月27日には955円にまで達しています。この172円でカラ売りしたと仮定すると（現実にそのようなカラ売りはほとんどありませんが）、172円で5,000株、投資金額86万円に対して、買い戻し返済額は4,775,000円になりますので、指し引き3,915,000円の損が発生します。

もし株式の値上がりがもっと激しい場合その損失は膨大なものとなり、信用取引は怖いということになります。

表11は現物取引と信用取引とを比較したものです。

	現物取引	信用取引
手法	現金で株式を買う。また持っている株を売る	お金を借りて株式を買う。または株を借りて売る
売買	買って売る	買って売る。または売って買い戻す
取引可能額	手持ち資金の範囲内	担保として差し入れている金額の3倍まで
経費	売買取引手数料	売買取引手数料、買いの場合は金利、売りの場合は貸し株料
口座	通常口座、口座料無料が多い	通常口座に新取引口座をさらに開く必要

表11

●2種類の信用取引

信用取引には２種類あります。１つは制度信用と言い、他の１つは一般信用と言っています。

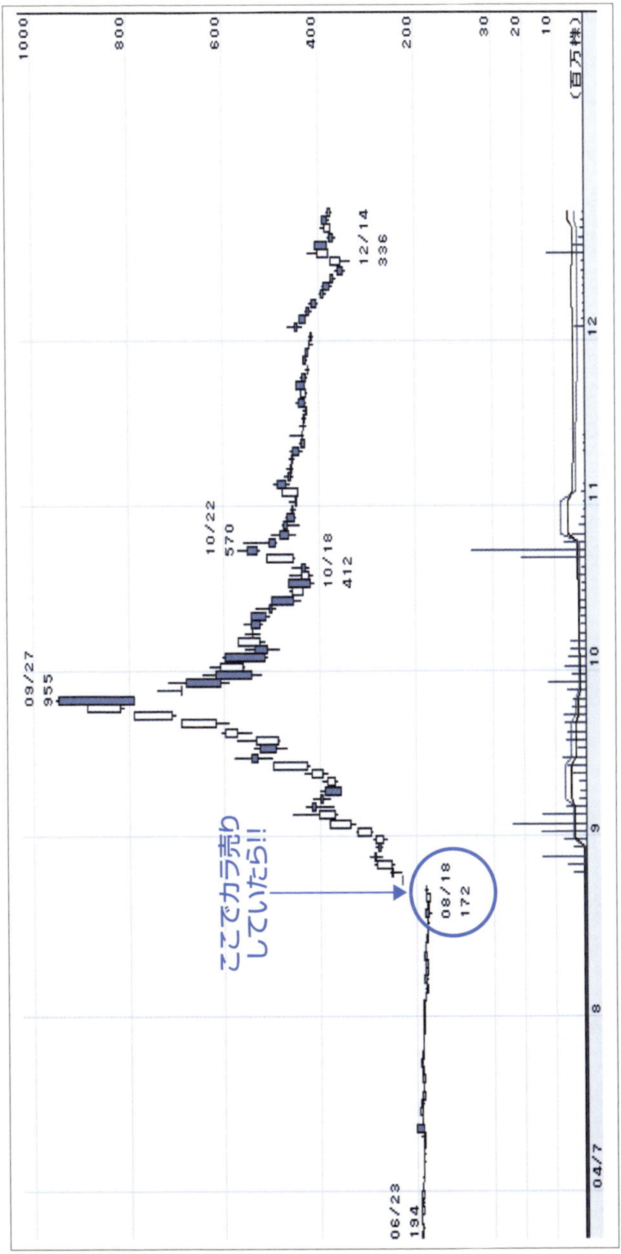
ここでカラ売り
していたら!!
08/18
172
09/27
955
10/22
570
10/18
412
12/14
336
06/23
194
1000
800
600
400
200
30
20
10
(百万株)
04/7
8
9
10
11
12

Ⅱ-8

制度信用のできる銘柄は、証券取引所が当銘柄が基準に合致するかどうかを調査して決めます。東証（東京証券取引所）１部上場銘柄はほとんどが制度信用銘柄です。その中でもさらに厳しく決められた基準に沿った貸借銘柄があります。この銘柄が、信用取引の特徴の１つであるカラ売り（新規売り）をすることができる銘柄です。日経新聞の株価一覧には「・」がついたものがありますが、それが貸借銘柄です。

他の１つは一般信用です。これは証券会社と投資家が条件を自由に決めることのできるものです。たとえば制度信用では決済までの期間が最大6カ月ですが、一般信用ではこの決済期限をなしにすることもできます。いわゆる無期限信用です。大半の証券会社との間の一般信用は買いのみですが、カラ売りができる証券会社もあります。

また特殊な例として、一般信用取引での取引手数料と金利とを複合化して、有利なほうを投資家に選択させるORIX証券のようなところもあります。

ORIX証券の場合、手数料は指値注文で約定代金の0.126％ですが、無期限一般信用取引では、手数料が約定代金にかかわらず300

	制度信用	一般信用
対象銘柄	証券取引所が認定した銘柄。東証1部、2部で約2000銘柄、このうち貸借銘柄は約1500	基本的には全銘柄にできる。新規上場銘柄をできる証券会社もある
決済期限	6ヵ月以内	証券会社によって異なる。無期限信用もある
金利	証券会社によって異なるが、松井の場合、買い方は年2.1％、売り方は貸株料が年1.15％	買い方は年3.1％、売り方の貸株料は年2.0％。しかし、無期限信用の場合金利を高くするところもある
資金、株券の調達	不足の場合証券金融会社から借りる	証券会社が自前で調達する

表12

円です。しかし、一般信用の６ヵ月期限では金利が２％に対して、無期限では4.8％です。

どちらを取るかの選択は投資家が決めますが、ORIX証券はガイダンスとして次のような図（Ⅱ-9）をホームページに示して投資家の便宜を図っています。つまり無期限信用取引は金利が高いので、早い時期に決済しなさいよという忠告だと判断する必要があります。

このⅡ-9図は次のことを意味しています。評価損率、つまり株の損率は金利によって日数経過とともに増大します。無期限信用はこの金利が高いのです。他方、一般には建玉残高は時間経過と共に急速に減少して、１ヵ月も経過すると相当数が決済されているのが現状です。したがって、このように手数料300円という安い無期限信用は、無期限と言いながらもそれほど長い期間を持つのではなく、手数料の安さを利用して比較的早く決済するようにという注釈までつけています。

Ⅱ-9 評価損率と建玉経過日数

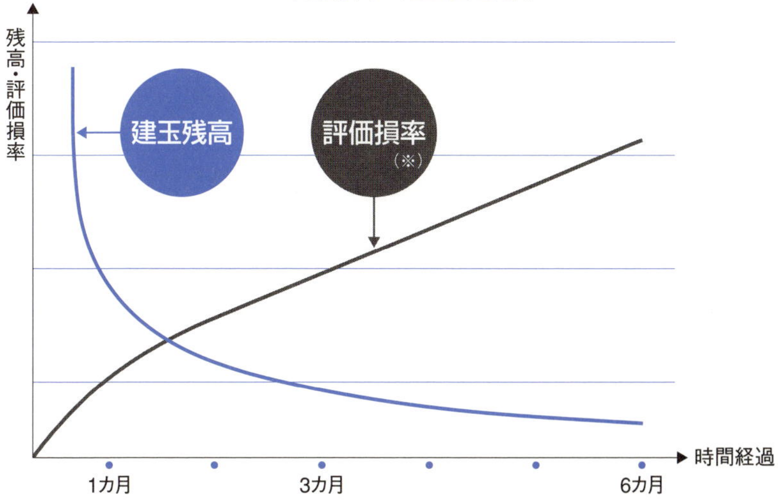

（※）評価損率:評価損額／建玉残高（売・買残合計）

column

信用取引は危険か

含み損が発生したときの追証

さらに信用取引の危険とは何かを見てみましょう。昔から信用取引は危険だと言われ、いまだに株式評論家の中には個人投資家は信用取引を始めるべきではないというご意見の方もおられます。

そこで、信用取引の危険とは何か、どうすれば危険性を減少させることができるのかを検討してみます。

信用取引では、担保価値の約3倍まで取引ができると言いました。しかし、もし信用取引の売買銘柄が計画通りに利益を生まず反対に含み損を発生した場合どうなるか。その場合、証券会社は安全上この含み損と保証金との差額を毎日計算して、それを売買代金で割った値が一定の比率（最低維持率）を下回ると、保証金の追加を求めます。

これを「追証《おいしょう》（追加保証金）」と言っています。

この最低維持率は証券会社によって異なりますが、およそ20から30％です。参考までに松井証券では25％で、追証発生時にはこれを31％にする追加保証金を取られます。

信用取引口座に現金を預けているのはまだ余裕がありますが、たとえば担保として株券を預けている場合を考えます。すると、この株券の価値評価はその時点の株価の80％と見られます。

そこで信用取引で買った株が下落したとします。買った銘柄が値下がりするような相場環境では担保に差し出している株式の価格も共に下がっていると考えるべきです。すると急速に担保能力が下落し、最低維持率に近づき、場合によっては追証が発生します。この追証を差し出さなければ証券会社は独自の判断で担保株を処分し、追証に充当します。

また信用売り、つまりカラ売りの場合を考えます。この場合投資家は株券を借りて売るわけですから、この借株料を取られます。これは金利と同じ考え方です。さらに信用売り独自のものとして「逆《ぎゃく》日《ひ》歩《ぶ》」というコストがかかる場合があります。

逆日歩とは、信用売りが膨らんだ場合、日本証券金融などで貸し出す株券が不足し、足りない分を金融機関などから借ります。するとその経費がかかるというわけです。この計算には、休日も日営業日も勘定に入れますので、日歩1円ともなれば1,000株で毎日1,000円を払わなければならず、取引手数料の騒ぎどころではありません。この逆日歩が発生したかどうかは日経新聞にも、また各種株式情報を発信するインターネット上のホームページでも見ることが

信用取引（カラ売り）の危険性

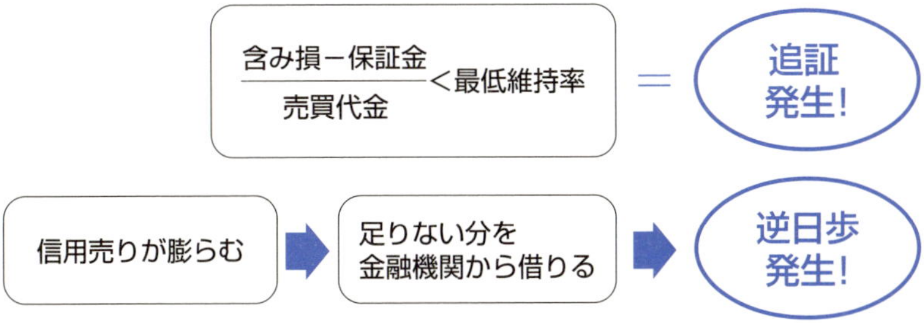

できます。すると逆日歩の発生した銘柄は売り方が追い込まれたわけですが、買いかということになりますが、一概にそうも言えないところに株式の難しさがあります。

このように信用取引の問題点をざっと見てきましたが、私たち個人投資家が安全に信用取引をするにはどのような点に気をつければよいかを下に示しました。

信用取引で注意すべきこと

1）レバレッジ効果を狙うわけですから、利益は大きいが損も大きいと覚悟しておく必要があります。

2）契約した各証券会社のホームページに個人のページが作成されておりますが、ここで信用枠の余裕を常に見ておく必要があります。

3）「追証」の仕組みを理解しておく必要があります。

4）金利負担を考えると短期売買が安全です。

5）担保株式の評価額にも注意する必要があります。

第3章

一般的な
テクニカル分析の
武器を使いこなす

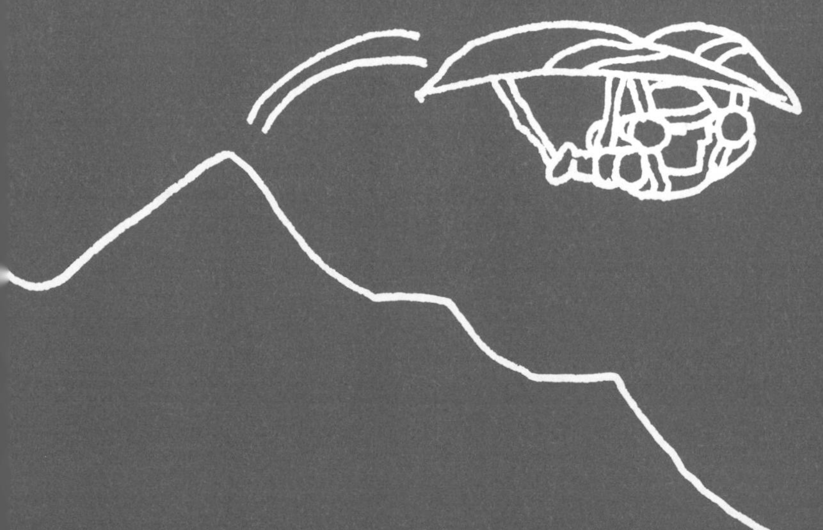

1 チャートの基本、ローソク足を知ろう

●ローソク足は日本人の発明

　チャートは、いわゆるローソクの形をしたローソク足から成り立っています。このローソク足は100年以上も昔のコメ相場に用いられた、日本人の発明によるものです。欧米ではバーとかラインとかでチャートを描きますが、最近はローソク足の持つ多様な有効性の故にそれを使用する人が増えています。このローソク足の意味を見てみましょう。

　まず表13で左の通常白色（赤色もあります）で描かれたローソクの形をしたものが陽線です。陰線は通常黒色で描かれます。

　1日の株価変動を表現したものを日足《ひあし》と言い、1週間分、1月分、1年分もあり、それぞれ週足《しゅうあし》、月足《つきあし》、年足《としあし》と言います。また逆に短い時間のものとして、1分間、5分間の値動きを表すものとして

１分足、５分足もあります。１日のうちに売買を終えてしまうデイトレードにはこれらを用います。

まず日足で説明します。陽線はその日相場が寄り付いた最初の株価である始値を、ローソクの実体部分（ローソクの芯でなく、ローソクの部分）の最下点に置き、その日の相場が引けた時点での終値は、実体部分の最上部に位置させます。しかし、陰線は実体部分の最上部が始値で最下部が終値です。したがって陽線とはその日株価が上がった、つまり終値が始値より高いもので、陰線は逆に低いものです。

その日、陽線が出現すると相場は強かった、陰線では弱かったと

表13

ローソク足とは

○その日の終値が始値より高いとシロで書く、低いとクロで書く。前者を陽線、後者を陰線と言う。

○１日のうちの高値と安値は上下のヒゲとして書く。

○陽線が現われた日は買い方の勢力が強く、陰線のときは売り方の勢力が強かった、と判断する。

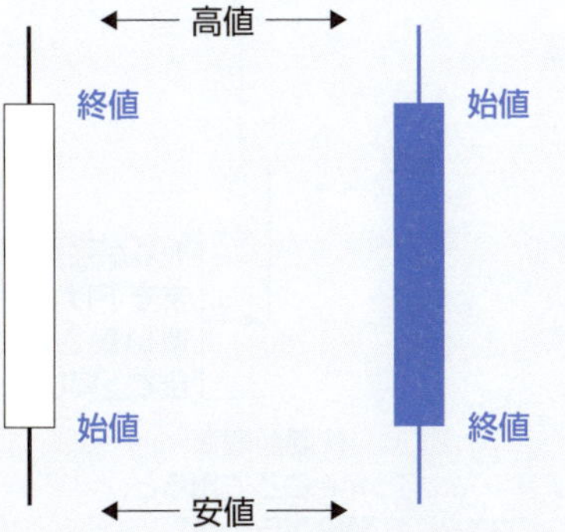

○以上は日足と言うが、週単位で書いたものは週足、また月足もある。

いうことになります。

実体部分の上下に出ているヒゲは、上ヒゲの最先端が当日の最高値、下ヒゲの最先端が当日の最安値になります。

このヒゲの解釈は重要です。上ヒゲが長いと、強い買いによって、一旦はその株価まで上昇したが、後に売り方が強くなって株価が下がったことを意味し、下ヒゲが長いと、売り方が強くて一旦はその株価まで下がったが、後で買い方が力を盛り返して株価を戻したことを意味しています。

したがって、日足チャート上で、ある銘柄の株価が連続下落し、その日株価が底を打った(最も下がった)時に出る長い下ヒゲは、売り方が強かったが、引けにかけて買い方が勢力を持ち直したものです。明日はその傾向が持続して株価が反転して上がるだろうと考えるのです。つまりトレンドが陽転する印ではないかと判断します。また株価が天井を打った(最も高い位置に来た)時に出る長い上ヒゲは逆の意味です。もはやそれ以上株価の上昇は止まる、つまり明日から株価が反転して下がるのではと考えるのです。

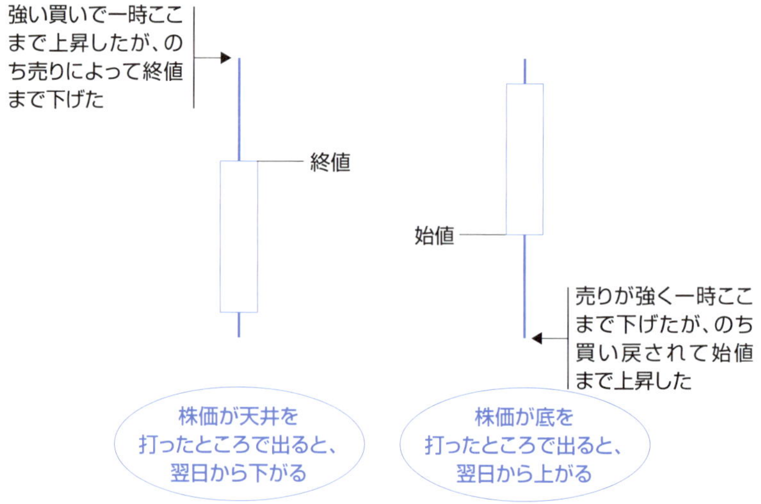
強い買いで一時ここまで上昇したが、のち売りによって終値まで下げた
終値
始値
売りが強く一時ここまで下げたが、のち買い戻されて始値まで上昇した
株価が天井を打ったところで出ると、翌日から下がる
株価が底を打ったところで出ると、翌日から上がる

したがって反転時に出現するヒゲは重要な相場の判断になります。

この日足の意味をもう少し見てみます。

図Ⅲ-1は実際の日経平均2005年4月21日の5分足チャートで1日分を表したものです。相場が寄りついた後、数秒で日経平均値が表示されます。図はその後を相場の変動にしたがって、時系列的に5分足でチャートを描いたものです。図に示すように、相場が寄りつくと一旦は大きく下げますが、その後は回復して上昇しています。当日始値より終値のほうが高いので、ローソク足を日足で書くとⒶのような陽線となり、長い下ヒゲを実現しています。

これで判るように、長い下ヒゲは相場の回復が著しいことを意味し、その読み方が相場判断に貴重な情報を提供します。

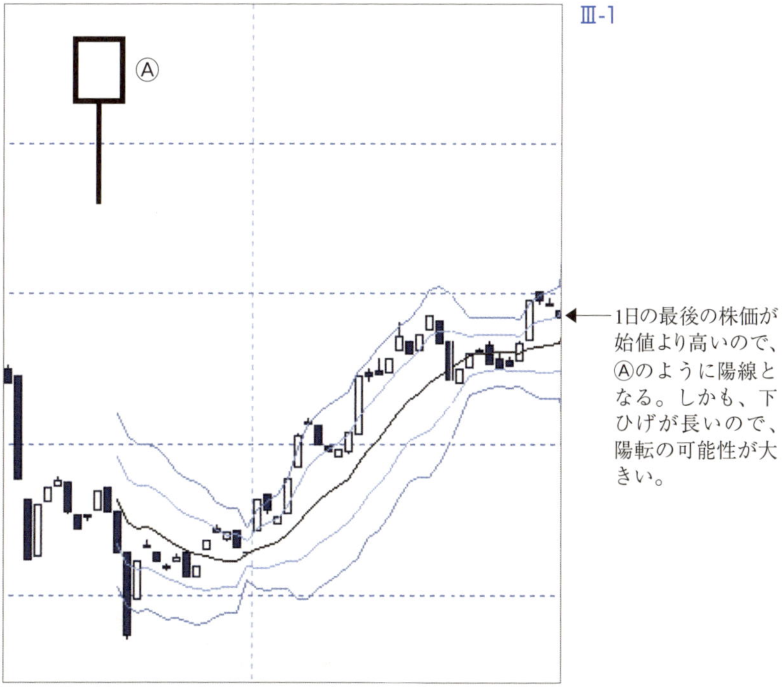
Ⓐ
1日の最後の株価が始値より高いので、Ⓐのように陽線となる。しかも、下ひげが長いので、陽転の可能性が大きい。

Ⅲ-1

●投資家心理からローソク足を読む

この他に各種のローソク足があり、その意味を読むことによって売買時期を判断することもある程度可能です。Ⅲ-2 図にその一例を示しました。

本書読者の方は、この各種のローソク足の形を無理に記憶しようとするのでなく、投資家心理から考えて理屈を覚えたほうがよいと思います。たとえば図における２番目のトンボについては次のように考えます。

先にヒゲのことを申し上げましたが、このトンボ足を見ると実体部分がほとんどなく、長い下ヒゲをつけております。実体部分がほとんどないとは、その日の始値と終値が同じであったことを意味します。したがって、一旦は売り込まれたが終わってみると株価は変わらず、残った下ヒゲは一時売り方に負けそうになったが結局は負けなかったということを意味しています。したがって、このような足が相場の底辺に出ると、下げていた株価が反転して上昇に転ずる動機になると解釈できるものです。

このように他の足も大なり小なりその日の買い方、売り方の攻防を物語るものとなっています。

また２本のローソク足を１本のものに合成して相場を判断することもあります。Ⅲ-3 図はそのようなものの例を示しました。

たとえばAは最初陰線の日足を出し、次の日は前の足に抱かれるようにして陽線が出ています。これは、「抱き線」と呼んでいるものです。これを１本に合成すると、最初の足の始値（陰線の上端）で始まり、次の日の陽線の終値（陽線の上端）で終わることになり、合成は陰線です。しかし下に長いヒゲを作ることになります。これは１本のローソク足の説明図では⑧に相当するもので、意味も同じです。

Ⅲ-2 ローソク足［10の基本線］〈日足、実体の小さいもの〉

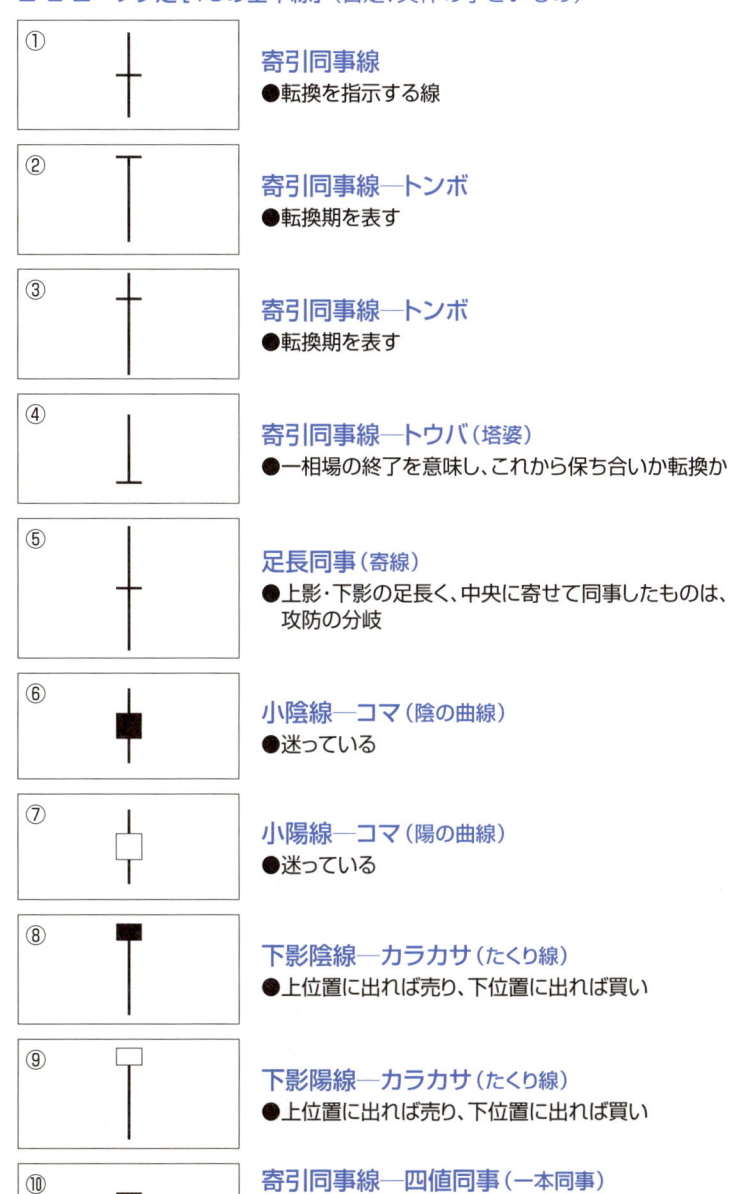

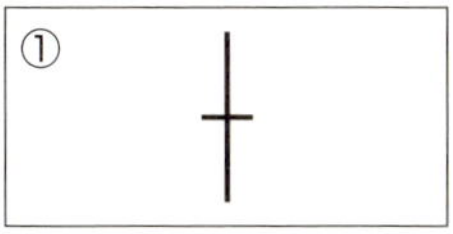

寄引同事線

●転換を指示する線

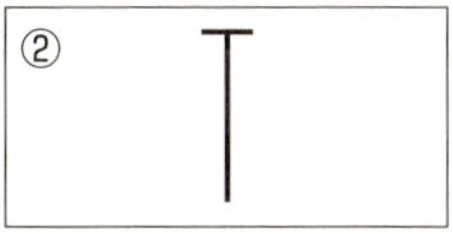

寄引同事線―トンボ

●転換期を表す

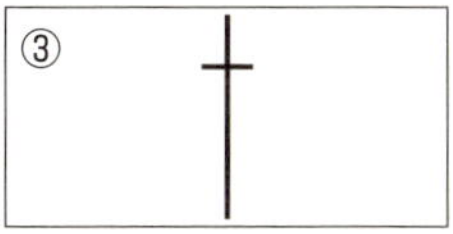

寄引同事線―トンボ

●転換期を表す

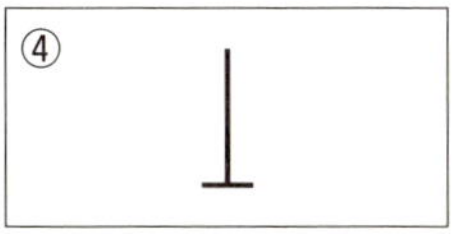

寄引同事線―トウバ（塔婆）

●一相場の終了を意味し、これから保ち合いか転換か

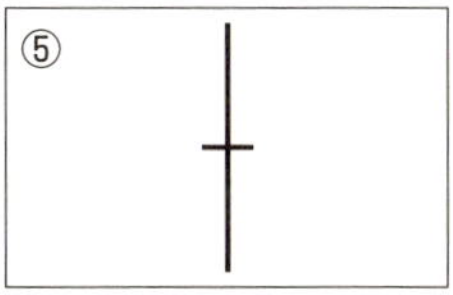

足長同事（寄線）

●上影・下影の足長く、中央に寄せて同事したものは、
攻防の分岐

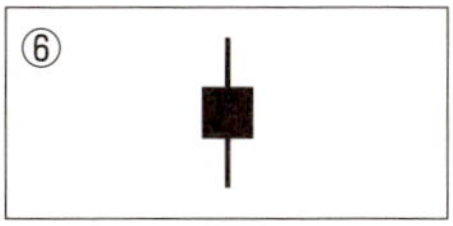

小陰線―コマ（陰の曲線）

●迷っている

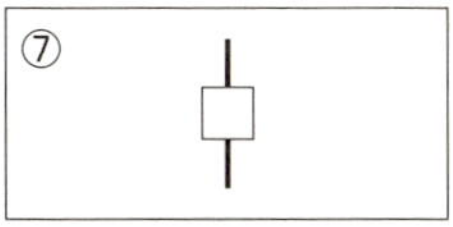

小陽線―コマ（陽の曲線）

●迷っている

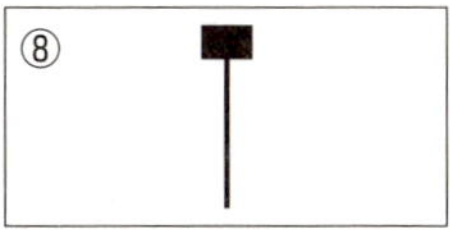

下影陰線―カラカサ（たくり線）

●上位置に出れば売り、下位置に出れば買い

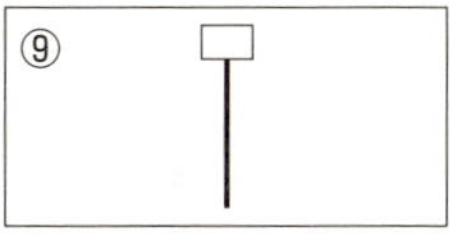

下影陽線―カラカサ（たくり線）

●上位置に出れば売り、下位置に出れば買い

寄引同事線―四値同事（一本同事）

●前後によって転換線

Ｂは初日が陽線で次の日が陰線です。合成された足はトウバと呼ばれます。Ｃはトンボ、Ｄはトウバ、Ｅはカラカサ、またＦもトウバになります。おのおのの足の読み方はⅢ-2図に示したように、その足の出る位置によって異なりますが、相場が転換するときに出やすいもので、その意味を読み取ることは大変重要です。

このようなローソク足の発明は、約200年前のコメ相場での本間宗久のものだと言われており日本独特のものです。わが国では従来からもっぱらローソク足を使いますが、欧米での終値を結んだだけのラインないしタテ線のバーでは相場の微妙さを表現することはできません。なんと言っても読みの奥深さはローソク足に追いつきません。したがって、欧米でも最近はcandle stick としてローソク足を愛用する傾向にあります。

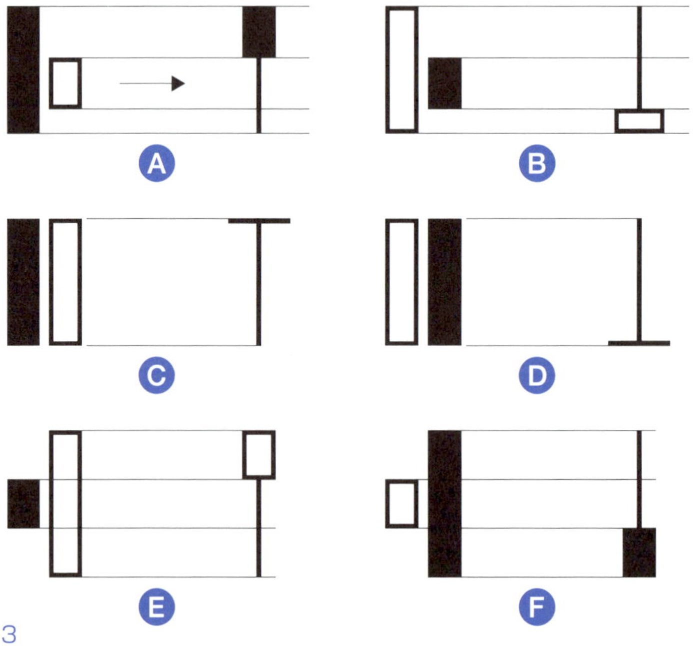

Ⅲ-3

●「酒田の五法」解説

こう見ると日本経済はこの道では先進国です。市場経済は欧米の基本的な経済原理だと断定し、それを無条件に導入して日本の倫理観までもゆがめたと嘆くより、先進国としての自信を持ってもよさそうです。本間宗久の時代からのローソク足の読み方と、その相場哲学を後世の人が編纂したものが「酒田の五法」と呼ばれ、その中に今日の株式相場でも通用するものがあるくらいですから。

五法とは、「三山《さんざん》」「三川《さんせん》」「三空《さんくう》」「三兵《さんぺい》」「三法《さんぽう》」の5つですが、すぐ後で三川の一部である「宵の明星」「明けの明星」をご説明します。

三山の代表は後記するヘッド・アンド・ショルダのことで、わが国では三尊とも呼んでいます。

三空は窓を3つ開けた形で、図に示すように連続陽線のなかに3つの窓をあけたローソク足パターンですが、一名「三空踏み上げ」と呼び、上げ相場の終焉を示すものです。逆に連続陰線の間に3つ窓を開けたものは、「三空叩き込み」と呼ばれ、下落相場の終焉が近いという意味をもっています。

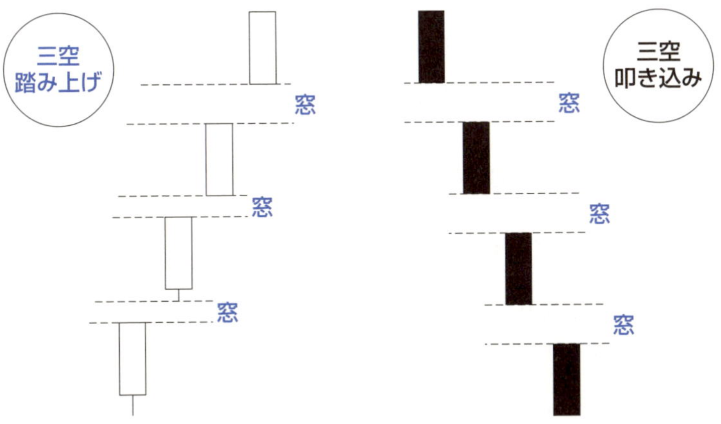

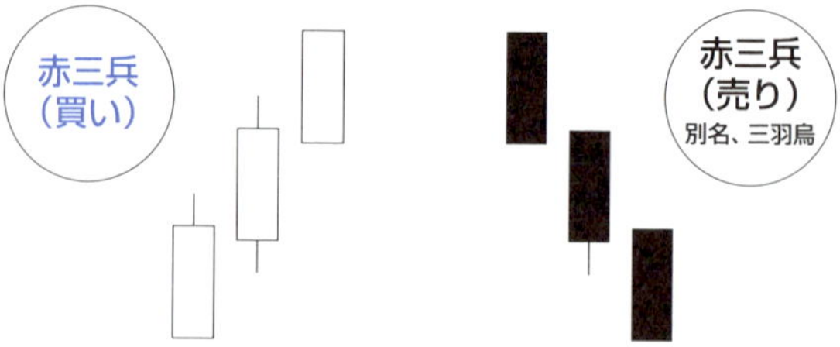

Ⅲ-4

さらに三兵とは図Ⅲ-4のように、3本の陽線が連続に現れ、また陰線が現れるものを言います。左は「赤三兵《あかさんぺい》」右は「黒三兵《くろさんぺい》」別名「三羽カラス」と言われています。共に売買のサインになります。

三法とは「買う」「売る」「休む」ことで、休むことの重要性を強調しています。

以上ごく簡単に酒田の五法を紹介しましたが、やさしいものでありご記憶されるといつか役に立つことにもなると思います

Ⅲ-5図は複数本の足の読み方の例を示しました。皆様は1本足と2本足、複数足のパターンをご覧になって、そのローソク足たちの示す投資家心理を読むように研究されるといいでしょう。きっと後で報われると思います。

上記に紹介した坂田の五法の中の「三川」の例として、「宵の明星」、「明けの明星」をⅢ-5-1に示します。前者は言葉の通りこれから下げに入る兆候を示す複合ローソク足パターンで、後者は夜明けの、つまり陽転する兆候を示すパターンです。これなど比較的よく現れるパターンで、しかも理解が単純で実用になるものと思います。また表現も日本的で美しいです。

●ヘッド・アンド・ショルダが出現する理由

ローソク足と違って、欧米のラインないしバーでは、チャートパターン認識が主役でわが国のものとは若干異なるものがあります。

日米に共通して著名なパターンの1つは、ヘッド・アンド・ショ

Ⅲ-5 天底暗示線の型

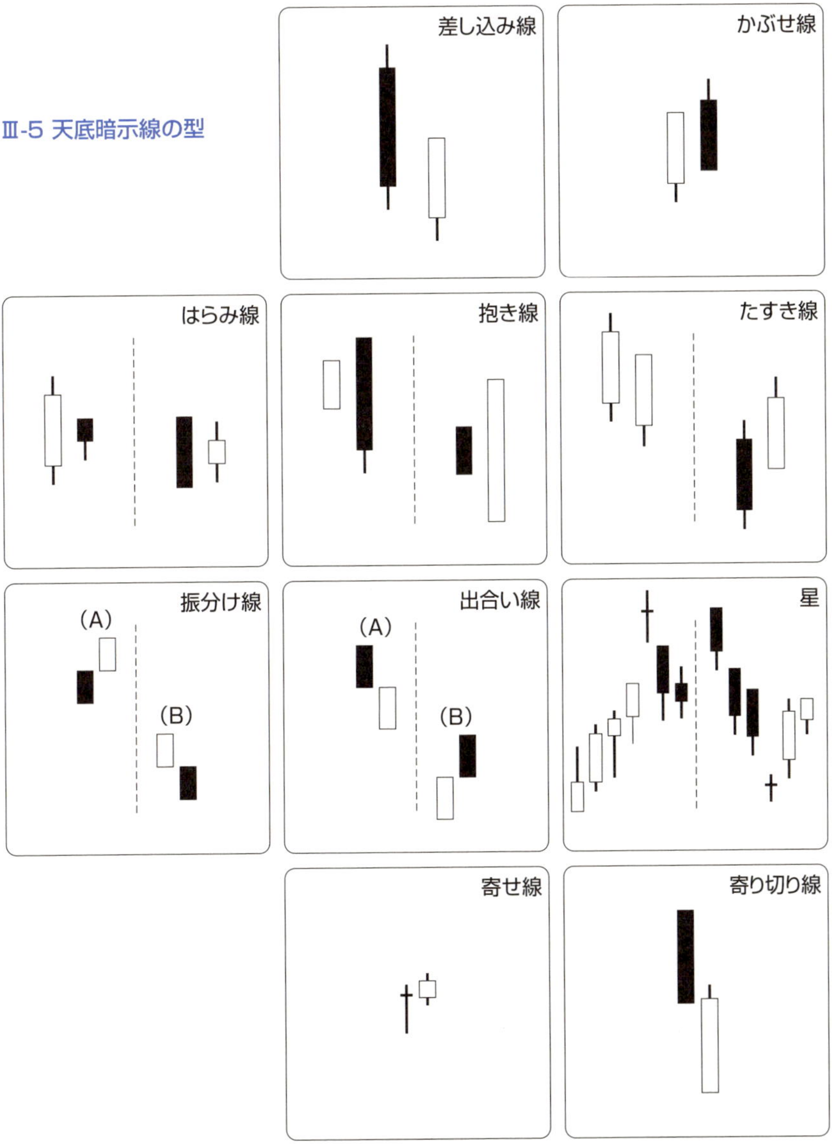
差し込み線
かぶせ線
はらみ線
抱き線
たすき線
振分け線
(A)
(B)
出合い線
(A)
(B)
星
寄せ線
寄り切り線

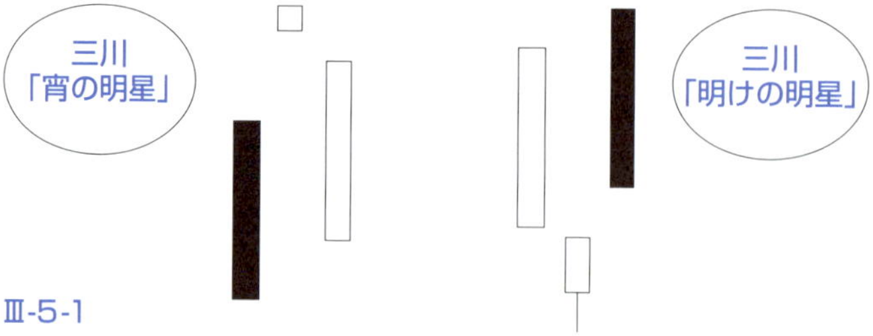

Ⅲ-5-1

ルダと呼ばれるものです。欧米系のテクニカル分析の文献を見ても、このパターンは、いの一番に紹介されています。これが200年前の酒田の五法にも書かれているのは驚きです。酒田の五法では、三山と呼んでおり、現在では三尊と呼び株取引に経験のある人には親しみやすいものです。

このパターンの示す投資家心理には面白いものがあり、また株価パターンの勉強にもなりますので少し説明してみます。

本来このパターンは若干長期にわたるものであり、最近の値動きの速い相場には昔ほど出現が頻繁でないと言われます。しかし、ローソク足のチャートでは隠れて見過ごされている場合がありますが、ローソク足よりも終値を結んだラインでチャートを描くとごく短期のパターンとしてよく現れます。出現する期間の長短はあっても、ともに投資家の心理を表す意味においては同じですのでご説明します。パターンは図のようなものです。

上の図はヘッド・アンド・ショルダー（日本では三尊）、下はヘッド・アンド・ショルダー・リバーサル（日本では逆三尊）です。

まず上のパターンがチャートの天井付近で出現すると、株価は下落し地獄まで下げると言います。地獄とはどこか知りませんが、相当な下げがあるのはよく見ます。下のパターンは逆で、チャートの底で出現すると、株価は大きく跳ね上がるというものです。

とにかく、この三尊パターンの投資家心理を読んでみましょう。

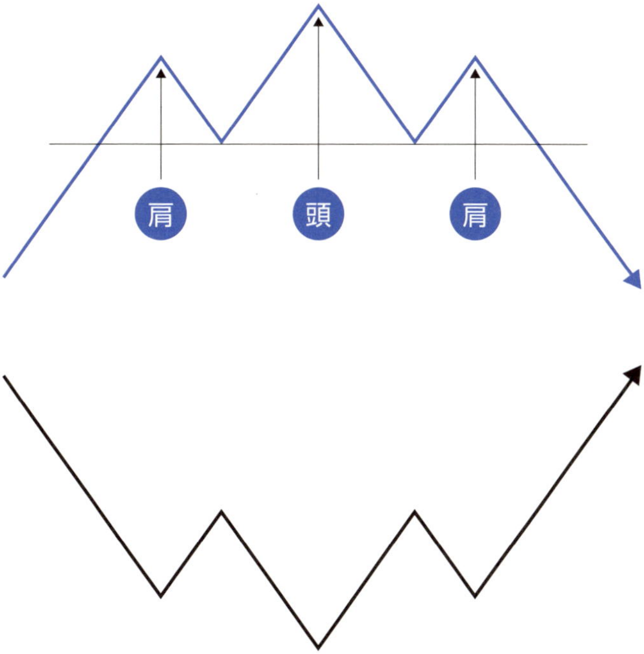

まず相場での買い方のエネルギーは強く、株価は上昇してきて最初の＜肩＞（ショルダー）に達します。しかしこれを見て売り方は絶好の機会だと高値を売り込んできます（戻り売り）。すると一旦株価は下がりますが、買い方は一度肩のところまで株価を押し上げた実績から、もう一度買い上がります。このエネルギーは売り方に勝つために強い決意で望んだもので、最初の肩の位置を超え、＜頭＞（ヘッド）の位置まで株価を押し上げます。

すると再び売り方は絶好の戻り売りだと売り浴びせて株価を押し下げます。この下げるのは前に出現したレベルまでです。つまりこれは抵抗線を形作っています。これは首の位置になりますのでネックラインと呼んでいます。

ここまでの買い方、売り方の攻防で、両者共に相当なエネルギーを消耗しています。しかし、せっかく頭まで株価を押し上げた買い方はこれでは満足しないで、再び買いで株価を押し上げようとしますが、残っている買いエネルギーでは肩の位置まで押し上げるのがせいぜいです。

これを見ると売り方は買い方のエネルギーが枯渇したと認識し、さらに売り浴びせて株価を下げるのです。つまり買い方売り方の攻防は、売り方の勝利に終わったわけです。ここからは売り方が利益を上げるためにさらに下げに参加し、最終的には株価は地獄の底まで落ちるというわけです。

株式の運動力学を支配する原理は、このように買い方、売り方の攻防であり、その勝負の結果なのです。

この他に「窓」とか「島」を作る投資家心理なども面白いものがあります。

先述のように、欧米のチャートはローソク足を用いるよりラインチャートを用いるものがいまだに多く、したがって相場の読みを株価パターンに頼る傾向があります。日本では１本のローソク足の形を重要視したり、複合でもせいぜい５本くらいですが、欧米では10日以上の株価パターンを問題にします。それは歴史的に相場の判断にローソク足を使ったか、そうでなかったかの差ではないかと思っております。したがって、本書でもあまりこのチャートパターン認識についての解説に深入りしないことにします。

それより本書で強調するMM法のほうがはるかに簡単で理解しやすく、また実践に用いて失敗の無いものだと思うからです。しかし、このようなチャートパターンは、株取引の経験が増すにしたがってもう一度勉強されるのがよいかと思い、参考までに紹介してみました。そのつもりでお読みください。

2 株価移動平均線を知ろう
——基本的なチャート分析法①

●終値の平均線

このようにチャートとはローソク足を用いて株価の時系列の動きをビジュアライズしたものですが、チャートには陽線、陰線が混在しており、成功するための微妙な株価パターンの判断にはそれ相応の経験を必要とします。

そこで、その日の株価の終値（通常）を過去の何日間かで平均したものを連続的に描く移動平均線が重要になります。ローソク足はその日１日の判断には必要ですが、短期、長期共に株価変動のパターンを見るには、その間の株価を平均して作り上げる連続線のほうがよりビジュアル的であり好まれます。

しかし、当然ながら何日の平均を取るかによってカーブは違ったものとなります。短い平均日では、連続株価をそのままなぞるものとなります。たとえば5日の平均を取った平均線では、ローソク足と同じく激しく変動します。しかし25日の平均線となると、非常に起伏の緩やかなものとなります。この5日と25日の間に適当な平均日の移動平均線が描かれますが、13日もよく使われるものです。さらに長期には200日移動平均線も用います。

Ⅲ-6図は5、25、75、200日の移動平均線を描いたものです。5日平均ではほとんど株価と同じ変動を示しますが、25、75、200日になるにしたがって、緩やかな変動になっています。200日は特に長期の判断に使います。この移動平均線より上に出た株価は買い方が優勢のときで、下のときは売り方が優勢のときです。売買点の判断方法は以下に示します。

この移動平均線をどのように使うのか、技術は多々ありますが、その一例をⅢ-7図に示しました。図には長期、短期の2本の移動平均線が描かれています。一例として、長は25日、短は13日としておきましょう。

まず株価が下げのトレンドに突入すると、13日の移動平均線のほうが先にその傾向を表現し、25日移動平均線より下に位置します。株価が上げているときはちょうど逆になります。

図ではⒶが下げの相場から陽転しようとするもので、Ⓑが上げの相場から反転して下げの相場に入ろうとする時のものです。

しかし株価の運動が反転したとき、たとえば下げていたものが上げに陽転したときには、25日は感度が悪いのでまだ下げ続けますが、13日は敏感に上げを表現します。すると13日移動平均線が25日移動平均線を下から上に抜くことになります。それは株価が下落基調から上昇基調に転じたと判断するのです。このように短期カーブが上昇して、まだ下げ続けている長期カーブを下から上に抜いたとき、これを「ゴールデンクロス」と呼んでいます。したがって、ゴールデンクロスは買いのチャンスだとも言えます。

移動平均線のクロスするところに注目!

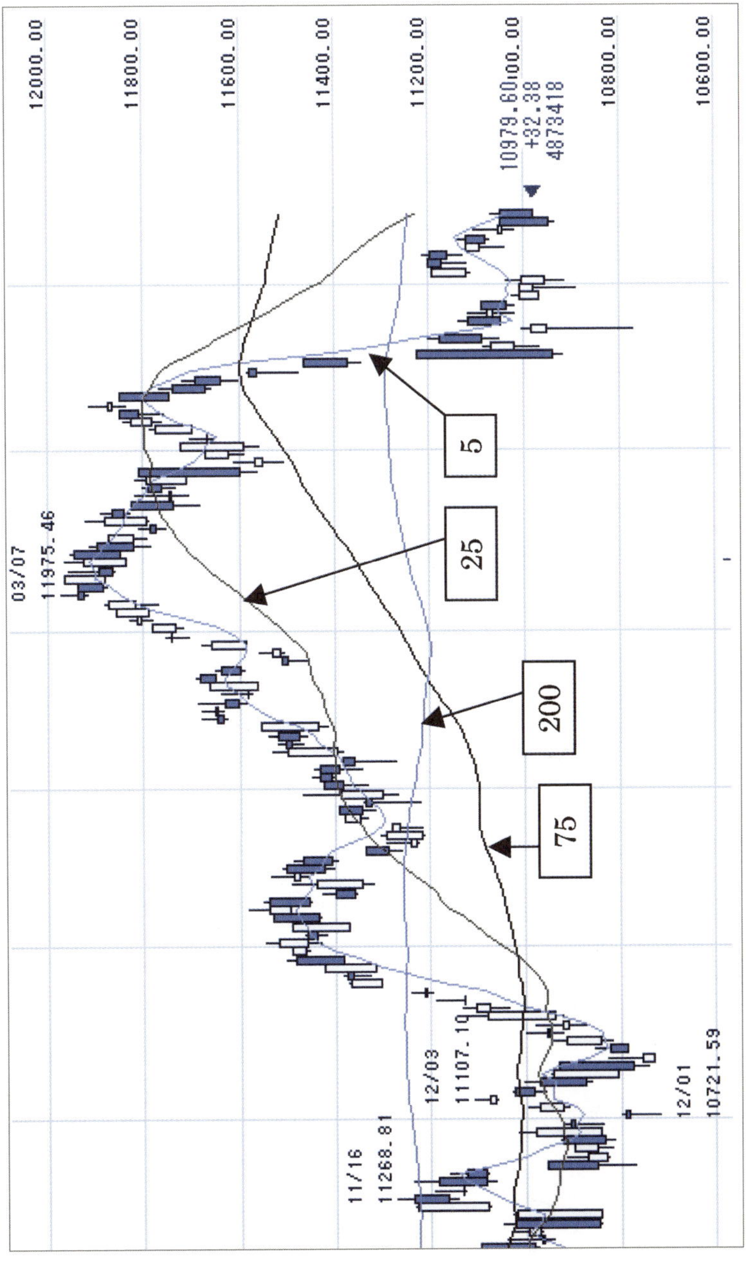

Ⅲ-6

Ⅲ-7

テクニカル分析のチャートとは

○横軸を日にち、縦軸を株価としたグラフにローソク足を書いたものをチャートという。

○毎日のローソク足の変動では、相場の大きな流れを掴むことができ難いので、終値の平均値をとりカーブにする。それを移動平均線と呼ぶ。

○短期の移動平均線は変動が激しいが長期のものは緩やかである。

○短期の移動平均線が下から長期の移動平均線をクロスする点をゴールデンクロスと呼び、相場が陽転した証拠とする。

○反対に短期の移動平均線が長期を上から下にクロスしたのをデッドクロスと呼び、相場の陰転を意味する。

Ⓐ

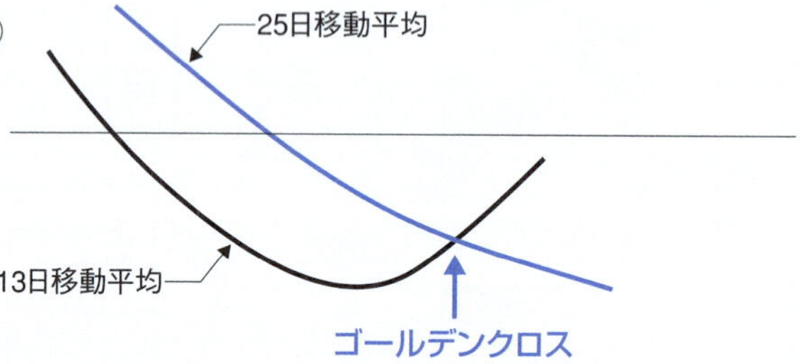

Ⓑ

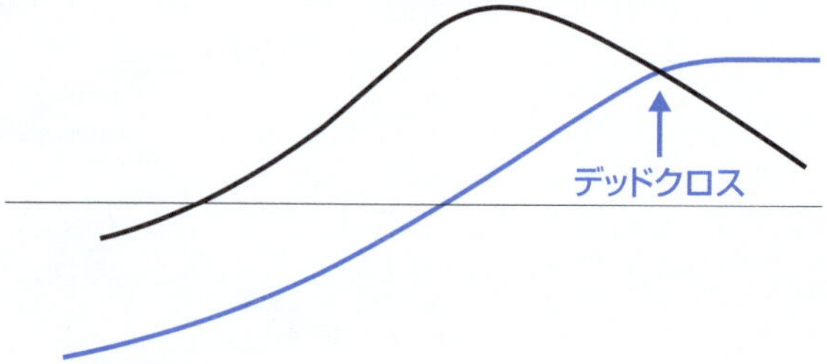

逆に株価が上げているとき、13日は敏感に変動し25日の上側を移動しますが、もし株価が下がり始めると、13日線は25日線を上から下に抜けます。するとこれは株価が反転して下げの状態に入ったと判断するのです。このクロスを「デッドクロス」と呼んでいます。つまりデッドクロスは売りのサインだというわけです。

●長短のクロスするところを見る

なぜこのようなことが必要かは言うまでもありません。そもそも株式売買の基本とは、安いときに買い、高くなると売るというものですが、その時期がいつ来るのかを投資家は今か今かと待っているのです。この目的に長短の移動平均線の判断が用いられます。

この移動平均線によってさらに詳しくチャート上の売買点を読む方法を提案したのが、グランビルです。Ⅲ-8はそれを示しますが、13日と25日の移動平均線を用いています。

グランビルは売買点の判断を多彩に行っていますが、ここでは代表的な判断方法を紹介します。

買いの条件は株価が移動平均線を下から上に抜いたとき、売りは上から下に抜いたときです。

図には25日移動平均線を13日移動平均線が抜いたときを買い、売りと記してあります。同時に長短カーブがゴールデンクロス（GC）する日、およびデッドクロス（DC）する日もマークしてあります。

この移動平均を用いたグランビルの手法は人気者です。多くのプロが使用したり、どのテクニカル分析ソフトにもこの移動平均線を欠かすものはありません。それだけ信頼があるものです。

問題は、「では何日の移動平均線を用いるのか。あるいは日足でなく、もっと長期が判る週足を用いるのか」などと判断が曖昧な点です。短期間の平均日によっては早い判断が可能です。しかし反面ダマシが多発します。反対に長期間の平均日、ないし週足では安定

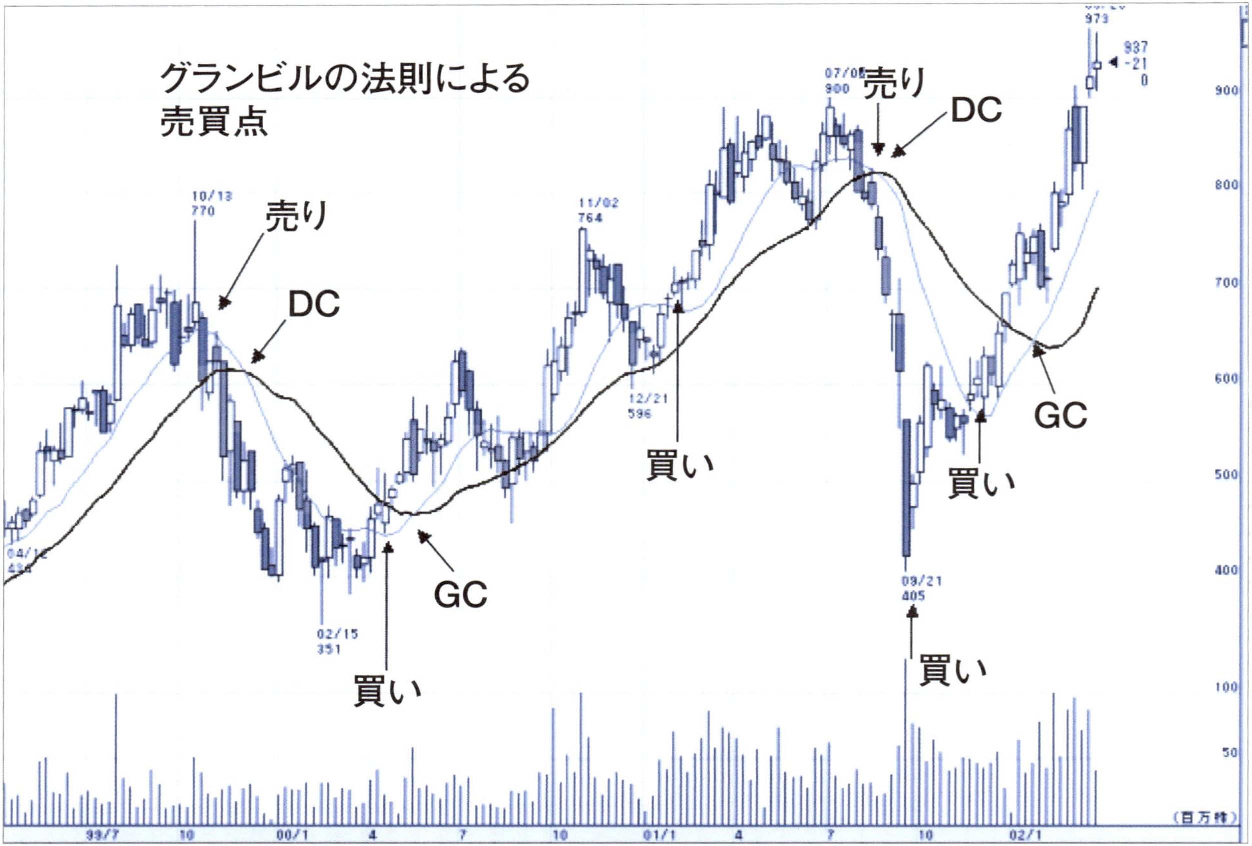
グランビルの法則による
売買点
10/13
770
売り
DC
02/15
351
買い
GC
11/02
764
12/21
596
買い
07/05
900
売り
DC
09/21
405
買い
買い
GC
973
937
-21
0
900
800
700
600
500
400
100
50
(百万株)
99/7
10
00/1
4
7
10
01/1
4
7
10
02/1

Ⅲ-8

した判断ができるでしょうが、今日の値動きの速い相場では遅すぎて利益が取れないなどの問題点があります。

相当な経験を積まないと成功することのできにくいものと言えるでしょう。

3 人気のある一目均衡表を知ろう ——基本的なチャート分析法②

●予測が可能

この分析手法は、一目山人と自称した山田吾一氏の作です。膨大なる人力の動員によって完成されたと言われています。独創的な日本固有のチャートであり、プロの間にも人気のあるものです。この一目均衡表が他の手法と異なる最大の魅力は、先読み、つまり予測が可能だということです。

今回は詳しい解説を行いませんが、一応説明いたします。

Ⅲ-9図は最近のホンダ（7267）のものです。Aは基準線、Bは転換線、Cは遅行線、Dは雲と呼ばれる領域です。このそれぞれはなにか、またどうして得られるかについては、多数の解説書がありますので、ご参考にしていただければ結構です。ここではご経験の浅いシニア個人投資家に向けて売買参入点のみを解説します

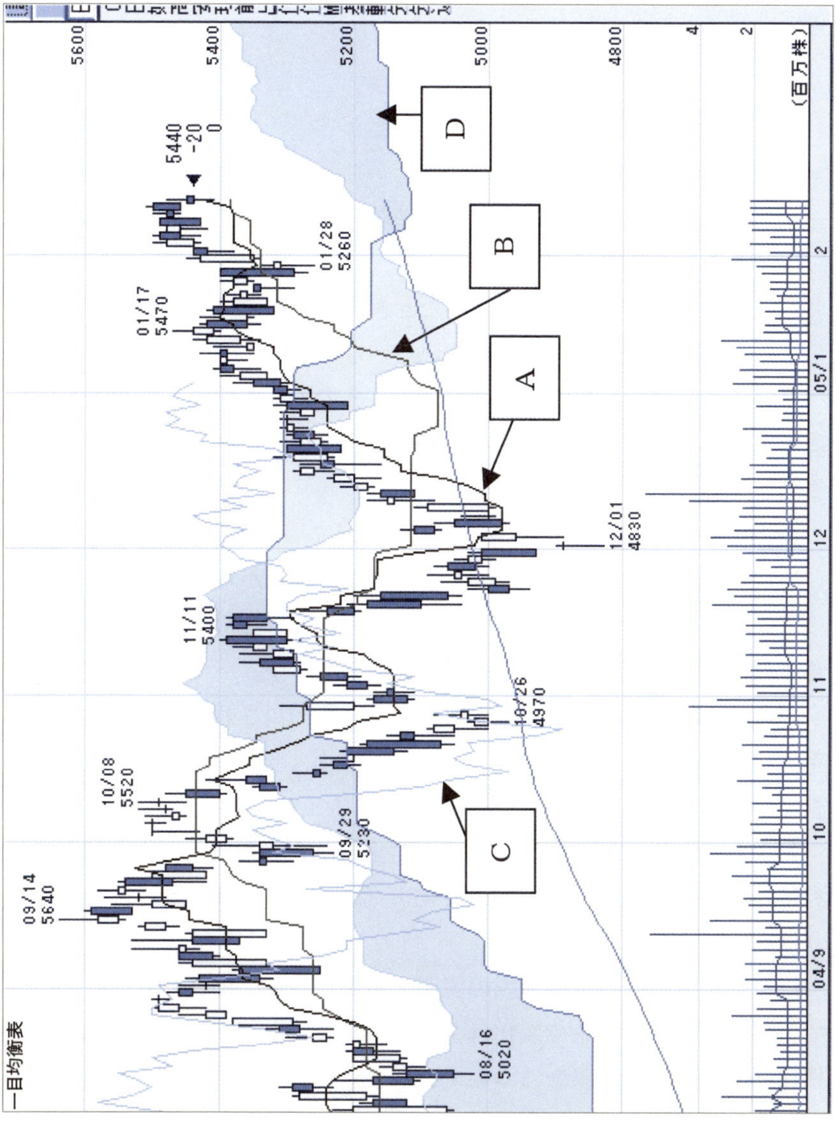

Ⅲ-9 一目均衡表（A＝基準線　B＝転換線　C＝遅行線　D＝雲）

買いは、

1）株価が転換線を上に抜き、基準線に近づいた時。さらに基準線も抜くと確実になる。

2）遅行線が株価を下から抜いたとき。

3）転換線が基準線を下から抜いたとき

売りは、

1）株価が転換線を下に抜き、基準線に近づいた時。さらに基準線を抜くと確実になる。

2）遅行線が株価を上から抜いたとき。

3）転換線が基準線を上から抜いたとき。

ということになりますが、これはあくまでも基準です。この一目均衡表の判断手法は奥深く、本書での解説は目的を逸脱しますので省略します。

面白いことに、このチャートに現れたホンダ（7267）の遅行線（C）はすでにピークを過ぎ、まさしく株価を上から抜く体制に入っています。これはまもなく売りの機会が来ると読めます。以後追跡すれば面白い一目均衡表の解説となるでしょう。

現在でも株価情報誌、株関連新聞にはよく引用されるテクニカル手法ですが、なんといってもその開発は旧く、今日の値動きの速い相場に適するかどうかには疑問があります。

しかし、当時の証券界を見つめて開発した姿勢といい、また日本独特のテクニカル手法といい、大変すぐれたものであることに変わりはありません。

以上は基本的な一目均衡表の説明ですが、さらに優れたものとして、基準日という概念で変化日を予測したり、上げ下げにおける目標株価の予想などの概念について、以下簡単にご説明します。これらは今日でも使えます。

●変化日、目標値の予測

株は常に変動します。この変動に何らかの周期性はないかと考えるのは当然です。

女性の体調変化に周期性のあるように、投資家という人間が絡む株式に周期性がないわけはありません。それは投資をする群集の心理なのか、それとも何か自然の周期が関係するものなのか考えれば限りがありませんが、これを徹底的に追求したのが一目均衡表の基準日です。この基準日に相場は変化するというのです。

たとえばある日に株価が底を打ったとします。すると何日目かにも底が来るという考えです。

もしこのような予測が可能だとすると、現在下げ続けている株価がいつ反転して上げに転ずるのか、それが判ればそのときに買いに出ればよいのですから、こんな素晴らしい方法があるのかと疑いたくなりますが、実はあるのです。一目均衡表の素晴らしい点はここにもあります。

一目均衡表ではこの変化日が来る基準日を、9、17、24、33、42、52、65、76……といった日数にするのです。ただし、勘定には当日も入れることになっています。では試してみましょう。

Ⅲ-10図は取引のできる株式ではありませんが、相場を代表する日経平均をチャートにしたものです。先に述べた基準日である9日目、52日目には明らかに相場は変化しております。24日の基準日は現実には23日になっていますが、これは誤差の範囲内です。株価変化日を予測するのに、それほどの精度は無理です。1ないし2日の誤差はあります。

また24日は週休1日のときのものであり、現在の週休2日制に変わってからはもっと短くすべきという意見もあります。図でも24日でなく23日に変化日が来ておりますが、これは誤差の範囲内です。

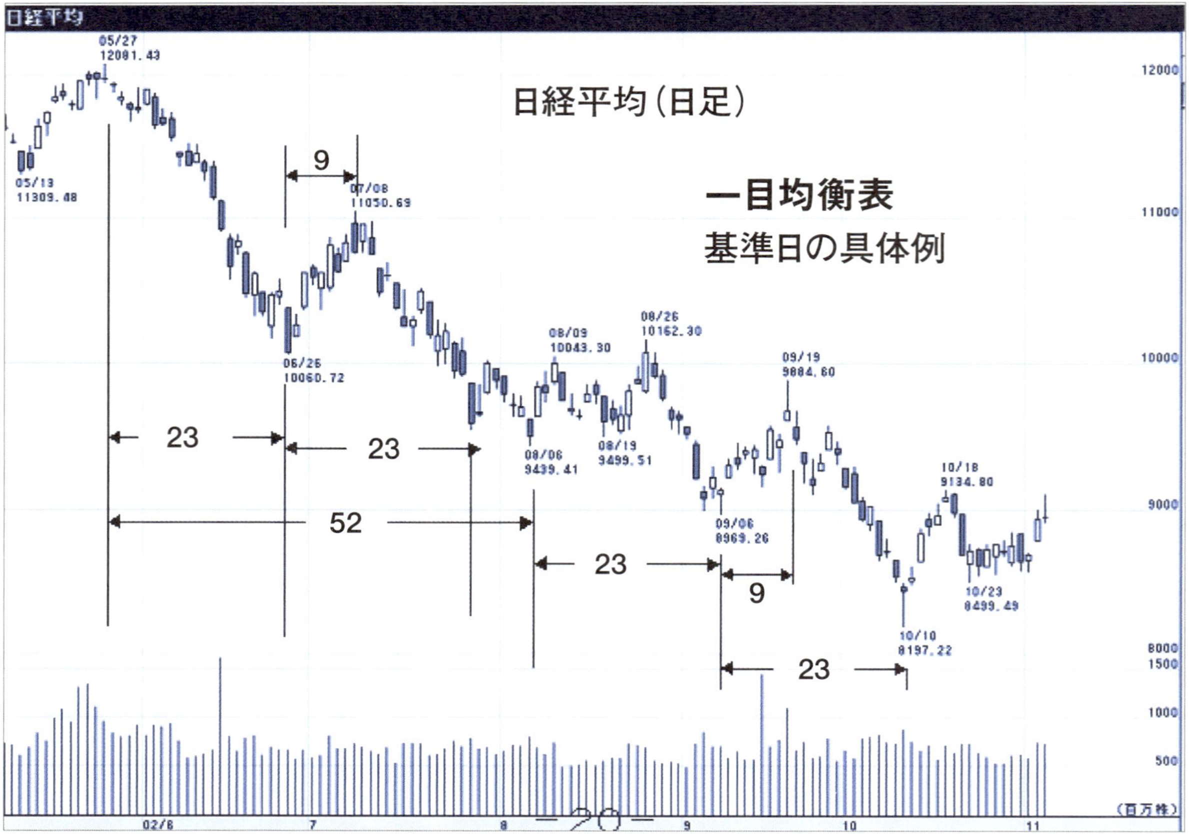
日経平均
日経平均(日足)
一目均衡表
基準日の具体例
05/27
12081.43
05/13
11309.48
07/08
11050.69
06/26
10060.72
08/09
10043.30
08/26
10162.30
08/06
9439.41
08/19
9499.51
09/19
9884.60
09/06
8969.26
10/18
9134.80
10/23
8499.49
10/10
8197.22
9
23
23
52
23
9
23
12000
11000
10000
9000
8000
1500
1000
500
(百万株)
02/8
7
8
9
10
11
－20－

Ⅲ-10

私も一目均衡表の決めた基準日はいまだに通用するものだと思っております。

●目標値を決定する

一目均衡表の優れた点は上記の変化日の予測と、もう１つ「では株価はどこまで上がるのか、下がるのか」の目標値を決定することができるという点です。

これは株式取引には非常に重要なことです。

たとえばある時期ある銘柄を買ったのに、相場つきが悪く下がって来たとします。すると、その株を一旦損切りしたほうがいいのか、それとも手数料も考慮してわずかな下げでの損失なら持ち堪えようかなどと考えるものです。そのときに役に立ちます。

一目均衡表では４つのパターン、Ｎ値、Ｖ値、Ｅ値、ＮＴ値を示します。図はそれらを表現しました。

一目均衡表での目標値

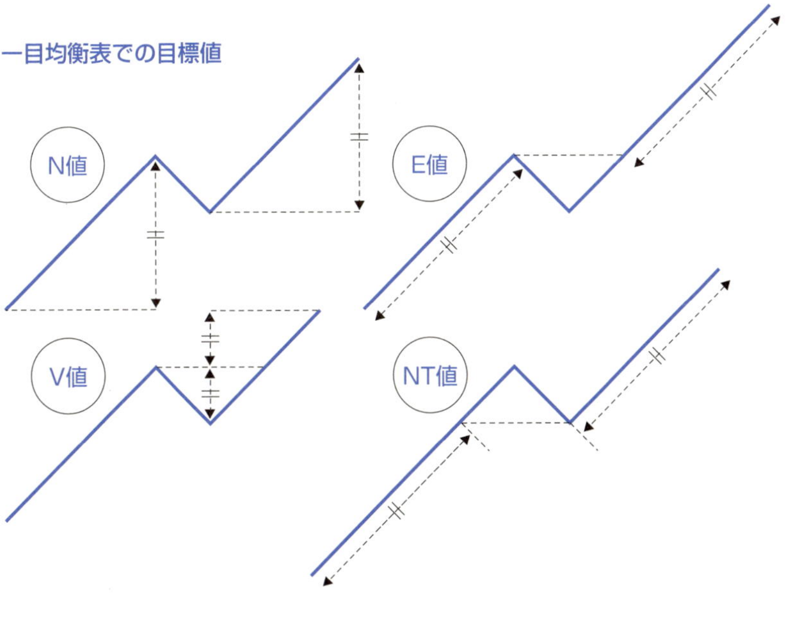

基本的な考え方は、波動の周期は上述の基準日でしたが、ここでは波動の振幅を問題にしているのです。どうして計算するかは図に示した通りです。数字で等しい（＝）と示した分だけ上昇すると考えるのですが、どの部分がそれに当たるかを示しています。

この出現する可能性の高いのは、私の経験ではＮ値とＶ値です。したがってまずはこの２つのパターンで計算するのが良いと思います。

図は上昇時のみを描きましたが、下降時はちょうど逆になります。

以上グランビルの法則による移動平均線と一目均衡表の２種を紹介しましたが、テクニカル手法における分析ソフトは他に多数あります。

東洋経済の出しているポピュラーな「四季報」と兄弟関係にある「株価チャート・CD－ROM」は、今までに開発された手法をもれなく網羅しています。価格も安く、コストパフォーマンスの優れたものです。一度自分のパソコンに落とし込んでみるのも一興かと思います。

4 MM法の骨子を知ろう

●近代的なテクニカル手法

以上、グランビルと一目均衡表の手法を紹介しましたが、このような分析指標はトレンド系とオシレータ系と出来高系に分類されます。そのおのおのを紹介するのは本書の目的ではありません。

しかし、次のようなことは言えます。

今日の、つまりインターネット時代の株取引の手法は、それ以前とはガラリと変ってしまったということです。株取引だけの問題ではありません。市場経済では、ヤフーがダイエー球団を買い取り、楽天が野球ビジネスに参画し、ライブドアがフジテレビに肉薄する時代です。これらのビジネスは、すべてインターネットの関与によって成り立っています。株価の変動原理がインターネットと無縁であるはずがありません。

インターネット時代の株取引の特徴を要約すると、「株価変動が以前より速い」「トレーダーは短期的に決済する」「取る値幅が小さい」、というものです。この３つは独立した現象ではなくお互いにリンクしています。また、一時期ある銘柄に人気が集中していた資金塊も、短期間で他の銘柄に移動する。つまりインターネット時代以前の感覚では付いて行けないものばかりです。

たとえば投資信託を見ましょう。その特徴は長期保有です。しかし、今日の10年後とはかっての100年後に相当します。そんな長期間資金を市場に晒す時間的な余裕があるのでしょうか。一国の成長を見ても、現在では10年などというスパンは物事を判断する基準とはなりにくいと思うのです。10年後日本の経済環境はどう変化することでしょう。ライブドアと日本放送の件を見るとき、また中国を見、韓国を見るとき、まさしくそのことが実感となります。あえて刺激的な言葉で言わせていただければ、「この激動する今日の時代には、今日に相応しいテクニカル手法が必要なのではないか」ということです。

「投資家心理は200年前も今日もあまり変わらない」というのは、前記の酒田の五法が今日でも通用する事実で判りますが、システムの変化による手法は大いに変わって当然だと思います。デイトレードはまさしくインターネットの落とし子ですが、デイトレードだけではないのです。かつて10年のスパンで行われた長期売買は、今日の２ないし３ヵ月のスパンで行われるスイングトレードと言われる短期売買に変貌しているのではないかと思われます。

本書で後ほど紹介する筆者の考案になるMM法は、充分とは言えないし、とても完成されたものとは言えませんが、このような要素を織り込むように工夫したものです。

表14

近代的なテクニカル分析

○現在の相場の値動きは速い。昔の株価移動速度が時速40kmとすると、今の株価速度は時速100kmだ。

○したがっていまだに信用されているチャート分析の手法が適切かは疑問だ。

○たとえば人気のある一目均衡表が買いの信号を出したときは、現在では遅すぎる。利益を出しても取れる利幅が少ない。

○移動平均線とそのグランビルの解釈も修正する必要がある。

○人気のある近代的株価指数、RSI、RCI、P&F、新値足、など数あるものの、ダマシと速度の調和は現在には適切でない場合がある。

●MM法の旗艦はボリンジャバンド

テクニカル手法はトレンド系とオシレータ系があると申し上げました。他に出来高系もありますが、これは前2者とは若干異なるのでここでは除外します。

トレンド系もオシレータ系もインターネット時代は、工夫が必要です。しかし株価が振動するという前提に立って開発されたオシレータ系は、その指数の平均日を短くすると、判断は速いがダマシ(嘘の信号)を連発する欠点があることは常識でした。またトレンド系はオシレータ系ほど平均日には依存しませんが、それでもあまりにも短い平均日ではトレンドが読めない、という欠点がありました。これら従来の欠点を克服しようとして開発されたMM法は、その旗艦としてトレンド系の数値統計を基にしたボリンジャバンドを用いますが、それを補佐するのが平均日の短いオシレータ系で、それらが艦隊を構成しています。このトレンド系とオシレータ系との複合がMM法の特徴でもあります。

Ⅲ-11はMM法のチャートを示します。上部にあるのがボリンジャバンドでその下部にRSI、DMI(ADXを含む)、MACDを示してあります。この読み方は次章でご説明します。

MM法の4つの指標

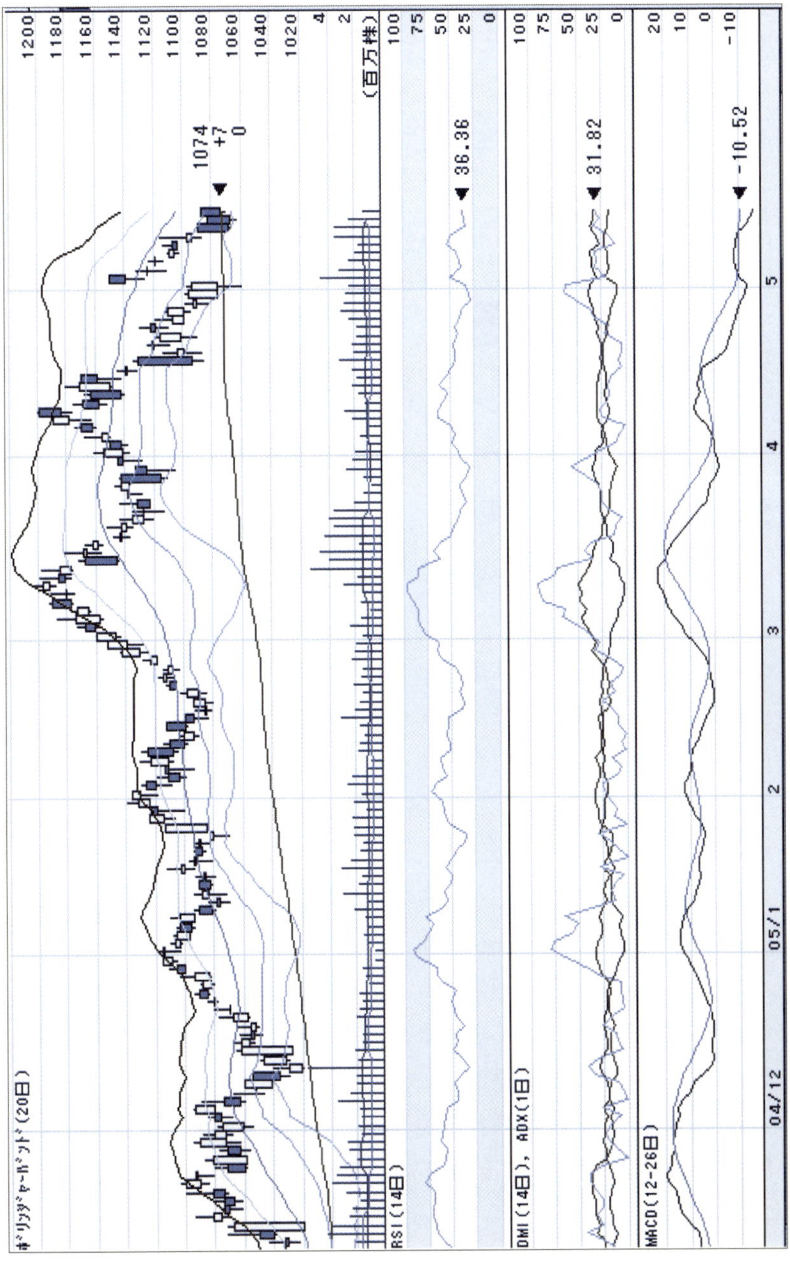

Ⅲ-11

column

小さく儲けて積み重ねる

先端金融工学理論で実戦

私の現役時代最後の研究テーマは、「超伝導エネルギー貯蔵」でした。このことを書き出すと１冊の本になりますので、具体的な話は省略させていただきますが、要は超伝導という材料を用いて電気的なコイルを作り、これに電流を流しておくと永久的に電流が流れる特性を利用するのです。永久に電流が流れるということは、そのコイルに永久にエネルギーを貯蔵できるということになります。これを超伝導の永久電流と言っています。

たとえば後楽園球場くらいの超伝導円形コイルを作り、それに電力を貯蔵すると、全東京の電力が貯蔵できます。昼は大変な電力を使う東京ですが、深夜は電力が余ります。この余剰電力を貯蔵し必要な時間帯に使用すると、はるかかなたから山を越え谷を越えて引かれている送電線は負担が軽くなり、また発電機も平均的な容量でよいのです。

現在の100万ＫＷ以上の大型発電機は、原子力を含めて電力を絞ることができません。したがって需用の少ない夜間の電力は無駄に廃棄されています。電力会社は声を枯らして夜間電力の使用を訴えますが、それほど効果がありません。

この話はこの辺で止めますが、そのような研究を行ってきました。

しかし、定年後私立大学に移ると、このような大規模な研究開発はできなくなります。私ははたと困りました。そこで好奇心が頭をもたげてきたのです。およそ縁のない「金融工学とは何物か？」と。ちなみに、私はＢ型の血液を親から受け継いでいます。

私は熱中して勉強しました。非常に面白い学問です。功労者にノーベル賞も与えられています。その受賞者の２人に、ブラックとショールズがおり、ブラック・ショールズの式として著名です。この式を繰り返し試してみました。そして現実の株式取引にも面白半分に使いました。

しかし、現在は極めてオーソドックスな、従来から言われている分析指数を使ってＭＭ法を組み上げたのです。その理由はごく簡単です。つまり上記のような金融工学を支配している原則に「ランダム・ウオーク」という概念があります。これは株式価値の変動に人為的な要素を入れないというものです。つまりランダム（ramdam：でたらめ）に歩かせろというものですが、現実にはそうではありません。人為的な要素が大いに入ります。ある証券会社がその気になれば、日経平均値すら調整することも可能です。これをするかしないかは証券界のモラルの問題で、技術的な問題ではありません。

これが、前に記した「株は博打ではない、だが胡散臭い」と言った理由です。この胡散臭さをどう取り除くか。倫理観および法制上の問題はまだ残っていると申し上げても良いでしょう。つまり、まだ依然として胡散臭さは残っているのです。

一例として、最近のライブドア（4753）と、ニッポン放送（4660）フジＴＶ（4676）の騒ぎがあります。こんな胡散臭い銘柄に売買を仕掛けて熱中する個人投資家がいたとしたら、彼らは博徒でしょう。これら株式取引にテクニカル分析など必要ではありません。しかも市場経済の本質を突くものでもありません。

このように胡散臭さの残る世界にあってどう勝てるのか。いや勝敗より、どう利益を上げるのか。それが問題であり、金融工学を放り投げた理由はそこにあります。

小さく稼ぐのがベスト

すでに申し上げたように、この本文はシニア個人投資家のためのものです。大きな損失は許されません。ということは博打をしないということです。胡散臭い銘柄からは遠ざかるということです。そして、できれば、市場の噂、企業の業績発表などにはそれほどかかわらない。重要視するのは、過去の株式の運動、その法則、あるいは習性が見つかれば、それを数値化して追いかけていくというものです。これが本書の主題にしたテクニカル分析です。

しかし、テクニカル分析に問題はないのか、あればどう解決していくのか、これも私の最も重要なテーマです。

テクニカル分析の手法はチャートを用いることです。チャートとは当銘柄の過去の株価を図示することです。しかし、いくらベストなチャート分析手法が工夫されても、その持つ最大の問題点は、昨日の相場が引けた後で発表される（通常はこれが多い）当該企業の業績です。これは次の日の寄り付きに必ず反映されます。すると、前日まで上昇していた株価でも、業績発表が予想より悪い場合、株価はその悪さ加減に反応して下落します。あるいはそれ以上に過剰反応することだってあります。その銘柄を買っていた投資家は損を被ります。

ある銘柄は企業が発表する前に、情報がリークされることがあります。リークするのか、リークさせるのか、それは判りません。だが、これは直ちにチャートに反映します。あるいは、ある銘柄を集中的に調査しているアナリストは、企業訪問によって担当者と議論し、ある程度は業績を予測することもできるでしょう。この情報は貴重であり、所属企業内でのミーティングには報告されるでしょう。あるいは所属会社の重要顧客にはリークされるでしょう。だがシニア個人投資家にはされないのが現実です。これらが問題なのです。

私は申し上げたように、相当な期間、個人投資家の方たちと話し合う機会がありました。その経験から個人投資家のスタイルを３つに分類しております。１つはシコシコと小さく儲けて積み重ねていく人、２つ目は儲けを大きくしようとし、株の魔力に取り付かれてリスクを積極的にとろうとする人。早く言えば博打の好きな人。第３は理工系の人に多いのですが、システムを開発してシステムの自動売買を夢見る人ということになりそうです。

シニアに話を限定すると、この第１の方法しかありません。第２の方法、つまりリスクを追う方法は時により一挙に大きな損失を出します。だが、シニアにはこれを補う手段はもうないのです。しかし幸運に恵まれるとこの方法が最も儲かるので、いまだに夢を追う個人投資家は後を断ちません。

ご注意したいのは、この第1の方法でシコシコと儲けを積み重ねるのは良いが、ある日悪魔のささやきで信念を曲げた売買をすると、積み重ねた利益が吹っ飛ぶことです。これさえなければシニアとしては充分過ぎる恩恵を受けるだろうと思います。

要は「あなたは株式取引によってお金を儲けたいですか」それとも「株式投機によって人生を楽しみたいですか」ということです。株式取引で成功するためには、これを十分自分に言い聞かせる以外に方法はないように思うのです。

第4章

MM法で使う
チャートはこれだ

1　ボリンジャバンドを使う
——極端に上下に振れたものを探り出す

以上のテクニカル手法の問題点を克服し、さらに現在の株価の挙動を考慮して開発したのが以下に述べるMM法です。かなりの時間をかけた試行錯誤の作品です。

MM法では４つの指標の有機的な結合を特徴としておりますので、各指標を１つ１つ理解していただいた上で、その構成を吟味していただければ幸いです。

●統計学上の理論

ボリンジャバンドは、ジョン・ボリンジャが考案したものです。基本的な概念まで考案したのでなく、基本は統計学上の正規分布からの偏差値による判断です。（BOLLINGER on BOLLINGER BANDS, by John Bollinger, McGraw Hill, 2001）

偏差値という言葉は、皆様にはあまりよい印象を与えないでしょう。年代によっては自分が、また息子さん、お嬢さんが高校から大学に進学するのに用いられる判断基準だからです。このように人間の価値を統計的な指標によって格付けするのは間違っていると私は思うのですが、株式はあまりにも人間くさい要素が強く、それは渦巻く欲望の中に閉じ込められたものですから、これに統計的な判断基準を入れるのには一種の爽快感があり賛成なのです。

そこで正規分布の意味からご説明します。初めて株式に取り組まれるシニアの方は、この手法の本質までは理解する必要はありません。なぜどのような点が買いなのか、また売りなのかを理解していただくだけで充分だと思います。したがって参考までにお読みください。

Ⅳ-1図は正規分布を示しています。横軸座標の中心はMA(Mean Average)です。それよりプラスの偏差を右に、マイナスの偏差を

正規分布

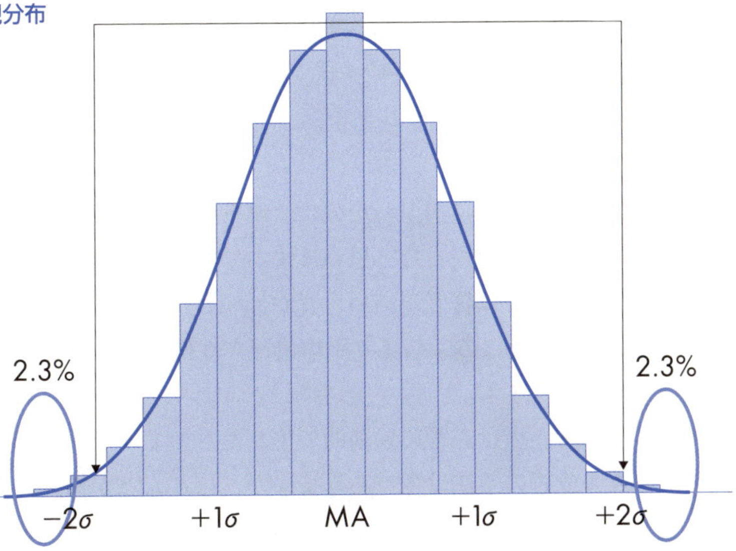

Ⅳ-1

左に書きます。縦軸座標はそのような事象の起こる確率です。つまり、ある事象があるとします。その事象の統計的な分布が図のようになるというものです。

もちろん統計的な分布の形は数多くありますが、このような単純な正規分布の事例は非常に多いものです。

そこで、ある教室の生徒の身長を横軸にとり、縦軸にその生徒数をとります。MAとは平均値で、クラスの平均的な身長と考えます。この身長の生徒はクラス中では最も数が多いのです。この平均身長より高い、あるいは低い生徒数を横軸の偏差、つまりσ（シグマ）によって表現します。数学的に1σとはカーブが変曲する点です。さらにその倍くらい背の高い、つまり偏差値が2σの生徒数は非常に少なくなります。

背の低いほうも対称的なカーブを示します。この例はクラスの生徒が身長にしたがって分布することを示しましたが、このような分布を正規分布と呼びます。

正規分布では、2σより背の高い生徒数は全体の2.3％。-2σより低い生徒数も全体の2.3％です。すると生徒の95.4％がこの＋2σと－2σの間に入ることになります。この原理を株式にも応用してみるのです。

最初この概念を株式に適用したのは、ボリンジャ氏ですが、かなりな時間と勇気が必要だったと思います。つまり上記の例で生徒の背が高いとは株式では株価が高い、背が低いとは株価が低いと読み替え、中心になるところ、つまり平均値MAは株式では過去20日の株価の平均値とします。

このような考え方は非常に独創的で優れたものです。いままで株式テクニカル分析の手法は多々ありますが、ほとんどが株式に携わった人の経験から来るものですが、このボリンジャバンドはそれ自体が統計学上の原理を利用しているところに説得力がありますし、近年このボリンジャバンドの利用が増えつつあるのは当然でしょう。

●信用度の高い正規分布

通常株価の運動は、もし平均値より高い位置にいれば、常にこの平均値に戻ろうとする習性を持ちます。そのMAより異常に高い、たとえば+2σより高い位置とか、逆に異常に低い－2σの位置にいる場合は、株式によく起こる過剰反応によるものです。しかし過剰反応したものは、時間経過とともに、行き過ぎを修正して必ず平均値に戻ろうとします。投資家はその習性を利用して利益をあげるのですが、そのための判断指標としてのボリンジャバンドは非常に意味があります。

つまり＋2σより高い株価になったものは売り、反対に－2σより低い株価になったものは買うのです。すると両者共にMAに近づきますので、その差を利益として取るのです。

非常に簡単です。

しかし難しいことにこだわる投資家もいます。「株価の変動分布は必ずこのように正規分布に従うのか。それならその根拠は」と言われます。このような疑問が湧くのは当然なのです。株価が正規分布など、誰が決めたのかと疑うのは当然です。しかし、そもそも株式に統計学的な追求をすること自体が無駄なのです。

ノーベル経済学賞に輝いたブラックとショールズは、自分たちが抽出した理論金融工学によって、華々しくLTCM（Long Term Capital Management）社の運営に参加しました。しかしソ連の経済崩壊によって大きな打撃を被ったのは著名な話です。

株価の分析には常に統計学上の約束事である、自然の動きをゆがめる要素が入り込まないという前提が必要なのです。つまりランダム・ウォークが前提となります。しかし、現実にはいろいろな動きが介入し、したがってLTCMは破産したのです。

しかし、株価の挙動を正規分布で決定することの是非については多くの人が過去に検証しており、正規分布でよいのではという結論になっています。

皆様も一度「正規分布」というタームで、インタネット上の検索エンジンを覗いてご覧になるとよいかと思います。

株式にあまり数学的な厳密性を要求するのは無駄だというものです。しかし、そうだとすると株式売買は非常に気が楽になりますし、それで結構よい成績が示されれば、それはそれでよいではないかと考えるのです。

●株で儲ける本質を知りたい

このことを書いているとき私は1つのことを思い出しました。文科系の教育を受けられた方は、理工系と一括りして、理学部系と工学部系とを区別しませんが、これが意外に問題なのです。ある研究を進めるとき、理学部系の人は工学部系の人に比べて曖昧さを残すのです。

そんなことにこだわっている時間は惜しいと考え、さらに重要な本質にぐいぐいと迫ります。これは理学部系の人は物作りとは無縁で、ただ背後に隠れた真理を追究するために直線的に進むからでしょう。工学部系の人は物作りをしますから、そうはいきません。1つ1つ確かめつつ物作りをするのです。この両者には大きな考え方の差があるのです。

私の記憶でも、あるプレハブメーカーが日立製作所の技術屋さんから住宅の発注を受けました。するとでき上がった住宅の受け渡し時に大変なことが起こりました。でき上がった柱の間隔が設計値より1mm違うというわけです。プレハブメーカは驚きました。家とはそんなものです、それならどうして図面に精度を明確にしなかったのか、というわけです。私もエンジニアはそうでなければならないと思うのです。

株における正規分布の話をしているうちに、話が飛びました。私は理科系ですから前に行くのが好きです。株で儲ける本質を知りたいのです。

まずボリンジャバンドのチャートを見ましょう。このチャートを描くためのすべての計算は市販のソフト、ないし証券会社の持つコンテンツの中に入っているソフトでやってくれます。

●ボリンジャバンドの買い点、売り点

Ⅳ-2図ではAが買い点、Bが売り点になります。A点はボリンジャバンドの－2σに近い、またBは＋2σに近いので、共に株価の過剰反応の結果だと判断します。つまりありえないような極端に低い確率の株価は、自然と調整されていくのです。たとえばAの－2σに近い株価は、急速に調整されMAに向かいますが、投資家の過大な誤謬によって低い株価まで押しやられていたために、今度はMAを越えて反対側の極値＋2σ近傍にまで株価を押しやるのです。いつも起こる投資家の過剰心理から来る現象です。

この過剰反応は株式に常に付きまとうものです。何らかの理由によって安く放置されていた相場は、強い反対理由が発生すると急速に反応して今度は反対の極値にまで達します。これが株式というものなのです。

ボリンジャバンドは巧妙にこの投資家心理を読んで戦略としているのです。

しかし、このボリンジャバンドだけでは、まだ明確な判断がし難いところもあります。そのためにRSI、DMI、MACDの補佐が必要となるわけです。なぜこの4つなのかは次第にご説明していきます。

極端にハミ出している部分（AおよびB）に注目する！

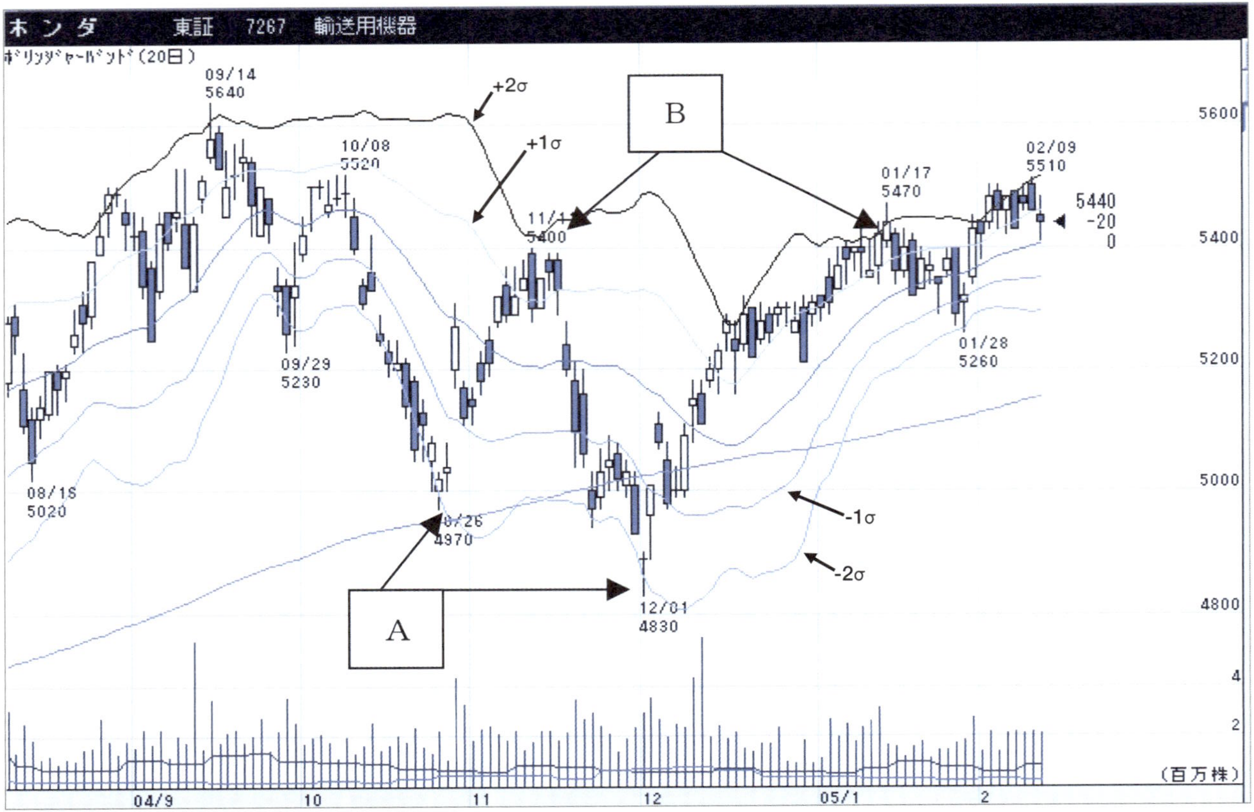

Ⅳ-2

表15　ボリンジャバンドによる売買の特徴

○ほとんど天底近くで売買できる。取れる利幅が大きい。

○売買判断が容易である。経験を必要としない。

○統計的な概念によるものであり、科学的だ。

○科学的とは、誰が繰り返しても同じ結果が出ること。

問題点

○株価の分布は正規分布だと仮定している。

○これだけで天底を予想するのは難しい。そこで他の指標を補佐として使う。

2 RSI（Relative Strength Index）を使う
——売りは75％以上、買いは25％以下

●14日間の平均を使う

RSIは通常単体で使うことが多いものです。人気のある指標ですが、平均日を短くすれば判断は速いですがダマシ信号が多く出るし、反対に長くすると判断用シグナルが出ないものとして有名です。

その理論式および計算はソフトに任せましょう。MM法では14日の平均日を用います。これは考案者ワイルダーの選択ですが、MM法で14日を選択したのはワイルダーが提案したからというより、MM法の長年の試行錯誤の末に決めた選択です。最近の短期売買の傾向から、この平均日をもう少し短くしたほうがよいなどと言う人もいますが、そのような相場環境もまた個人投資家のスキルも充分織り込んで決めた平均日です。

RSIによる売買の選択基準は、その数値が75％以上は高すぎる

株価を示し売りのサインです。反対に25％以下は下がり過ぎであり買いのサインとします。

理論的にはRSIは、14日間の平均的な下げと上げを加えた、つまり全体の変動幅に対して、現在の株価はどの位置にあるかを示すものです。

株価の相対的な強さを表現するのです。

しかし、後述しますがRSIの人気は株価の相対的な位置を知らすのみではありません。「逆行現象」と称して大変重要な株価判断の裏技として使える有効なものです。プロたちは好むようです。

Ⅳ-3図はスタンレー電機のもので、上半分はボリンジャバンドによる株価のチャートで、下の部分はRSIを示しています。図で描かれた線のところを見ると、株価が下げトレンドですが、その段階でRSIは反転上昇しています。つまり株価がここまで下げても、RSIが上昇している限り近いうちに株価も反転すると読んで、底を買うべく戦略を立てることができるのです。これをRSIの逆行現象と呼んでおり、経験を積んだ人の重要な判断武器となっています。

この逆行現象はRSIのみに現れるのではありません。オシレータ系指数には大なり小なり現れるのです。その原理などの説明はここでは割愛します。

RSIのサインを見逃すな

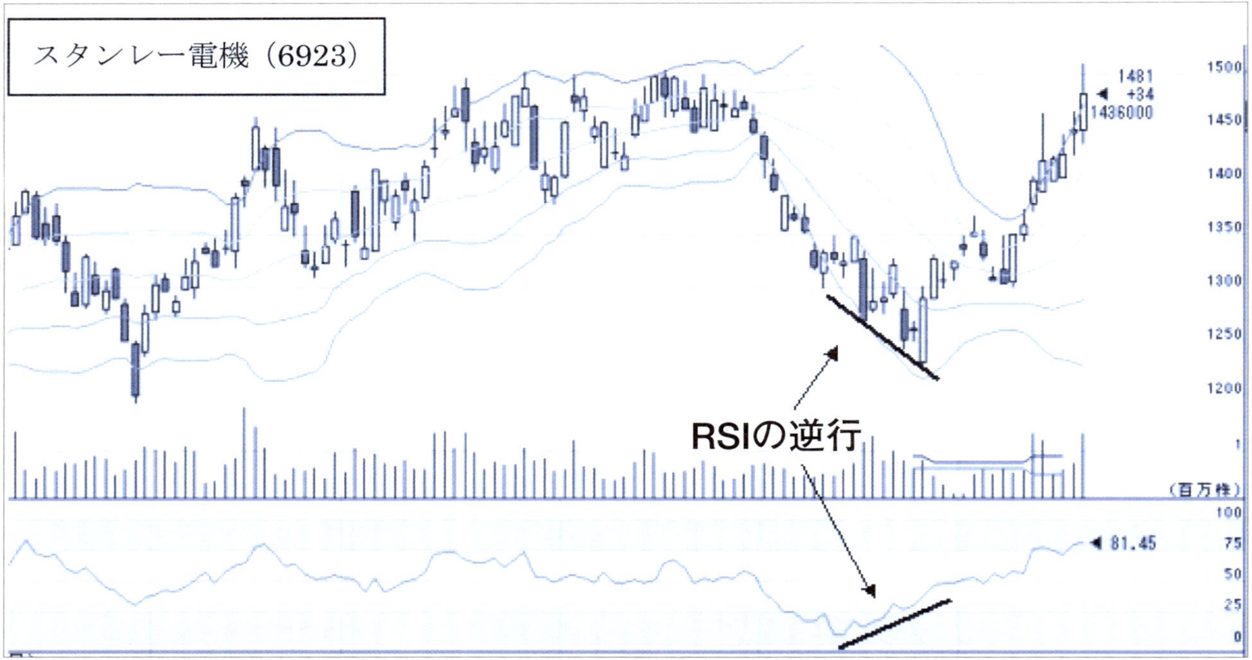

Ⅳ-3

3 DMI(Directional Movement Index)を使う
——大きな加速度で変動したものを狙う

●特異な使い方

この指標もワイルダーの考案によるものです。MM法はワイルダー考案の指標が多いですが、これは偶然です(『ワイルダーのテクニカル分析入門』パンローリング社、2002年)。MM法で使われるDMIは、一般には今日まであまり使われませんでした。その理由の1つは売買の判断が複雑で難しいからだろうと思います。このようなテクニカル指数を用いて資産を賭けて取引をするのに、あまり複雑で消化不良のものに全信頼をおけるかということだろうと思います。

しかし、MM法ではこのDMIと称されるソフトの一部であるADXのみを用いるのです。すると売買判断が非常に単純になります。しかし、それでもDMIの意味を充分内蔵しているものであり、M

M法の他の指標との複合によってのみ効果を発揮するものだと思っております。

複雑な数式も計算も省略しますが、＋DI（directional　index）は上げの方向性とその強さを示し、－DIは下げの方向性とその強さを示すようになっています。この両者のクロスポイントを売買に用いる方法もあります。

この両者の差の絶対値をDXと呼び、それがゼロになったときは、＋DI＝－DIのときです。これは上記のクロスポイントのところで、上げが下げに入ったデッドクロス、また下げが上げに入ったゴールデンクロスを表したところです。このDXはDMIという指標の中で使う場合は、その９日平均であるADX（9）を使います。

Ⅳ-４図は武田薬品（4502）のチャートで、上部にボリンジャバンドを示し、下部に±DIとADXを示しました。＋DIが上に位置し、－DIが下に位置するときは上げトレンドのときであり、反対に下げのトレンドのときは＋DIが下に、－DIに上に位置します。この両者の差はＤＸとなり両者の差が大きいときはDXも大きく、両者がクロスする点はDXはゼロです。

この図は一般のDMIの図とは異なります。DIはそれほど差がありませんが、MM法で用いるのは１日平均であるADX（１）であり、通常用いるADX（９）ではありません。これはすでに申し上げたようにDXそのものです。なぜDXとしないでADX（１）とするかは、通常利用できるDMIのソフトではDXより９日間平均のADXを用います。したがって利用できるソフトは皆ADXと書かれております。このADXの１日をMM法では用いるのでADX（１）としております。

なぜ１日にしたのかは、近年の値動きの速い相場に対応することができるように配慮したためです。図ではＡ点がカラ売り（新規売り）ポイントで、Ｂ点が買いのポイントです。共にADX（１）は75以上の高い値を示しております。

Aがカラ売り、Bが買いのポイント

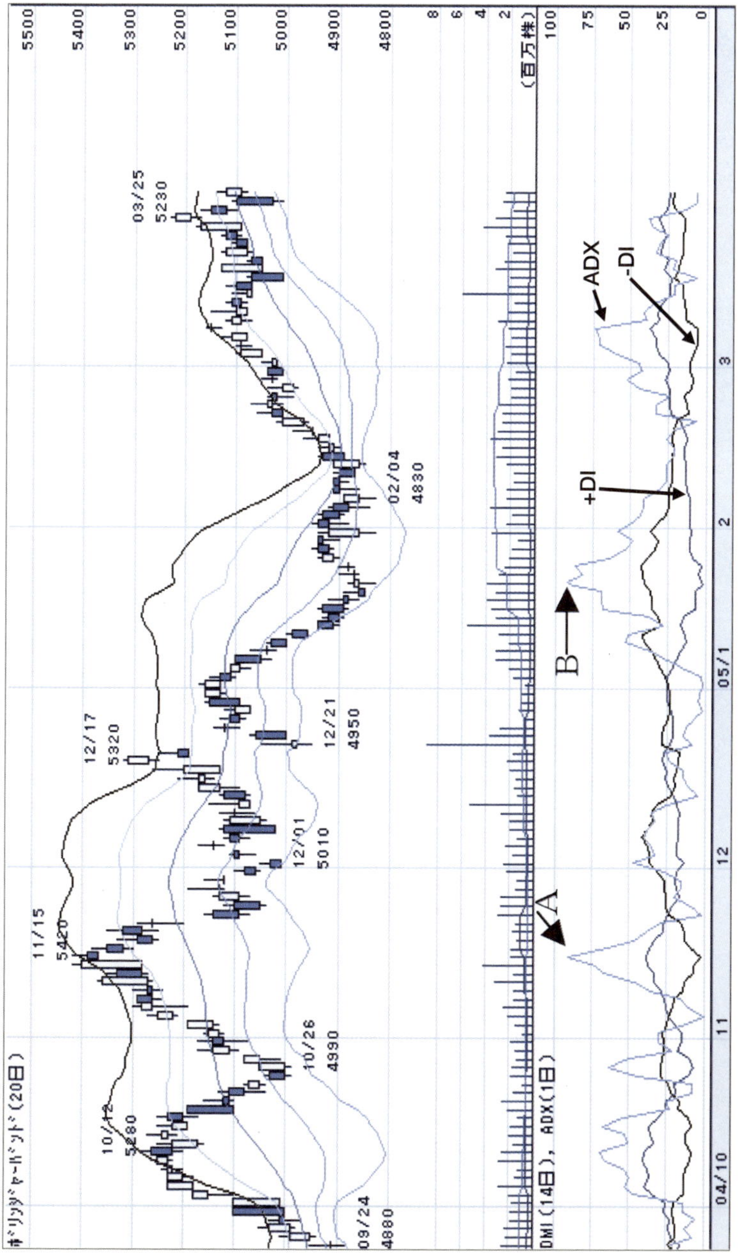

IV-4

表16

DMI（Directional Movement Index）

これもワイルダーの考案

○DI（相場の方向やトレンドの強さを見るための指標）

DIはどんな数式かの説明は省略します。要は＋DIと－DIの2本の線を用い、＋DIが－DIよりも上に位置しているときは、プラス方向への動きが大きいことを示し(すなわち上昇トレンドにある状態)、逆に－DIが上に位置しているときはマイナス方向への動きが大きいことを表す。

○MM法で用いるのはADX（＋DIと－DIの差の開き）

通常は9日平均を用いるが、MM法では1日を用いる。これはMM法の他に類を見ない方法であり、今日の値動きに対応できる。

ADXが最も高い位置にいるときは、＋DIと－DIが最も離れた点であり、それはとりもなおさず株価が最も低い点か、最も高い点であり、つまり売買参入点だと言える。

4 MACD（Moving Average Convergence/Divergence Trading Method）を使う
——短期の変動にアクセントをおいた移動平均線

●短期売買で注目される

これもあまり使われなかった指標ですが、最近よく使われるようになってきています。基本原理は移動平均線による方法と同じですが、平均する手法が若干違います。前出の移動平均は単純平均ですが、MACDでは指数平均をとります。数学的な指数平均というより簡易便法を用い、直近の株価がより強く反映されるような平均を取ります。

したがって理工系の方が指数関数的でないと疑問を呈される場合がありますが、何度も言うように株価についてはそれほどの厳密性は不必要です。要するにある手法で儲けることができれば、それがすなわち善なのです。

MACDはこの長短（通常12と26日）の指数平均値の差です。

さらにMACDの単純移動平均（９日）をとってシグナルとし、この２本のカーブを比較して売買点を探るのです。

このMACDとシグナル線のゴールデンクロスおよびデッドクロス点を、前者を買い、後者を売りのサインとするのが通例ですが、MM法では別の方法を取ります。この点についても従来の方法と異なりますので後述します。

最近MACDがなぜ使われるようになったかと考えると、最近の取引で短期売買が主になってきたからではないでしょうか。つまり指数関数的指標によって直近の株価がより敏感に反映するようになっているからです。

Ⅳ-５図は武田薬品（4502）のチャートですが、上部にボリンジャバンド、下部にMACDを示しました。通常のMACDを用いた売買点の決定は、このMACDとシグナル線とのクロスポイントを用いますが、MM法ではその判断では遅いとするのです。どうするかについては後述します。

MACD
（Moving Average Convergence/Divergence Trading Method）
移動平均・収束・拡散トレーディング法

○本質的には長短期間の移動平均線の比較

○通常の移動平均でなく、指数関数的な移動平均

○直近の株価が強く反映される移動平均

〈MM法〉では重要な役割をになう

MACDとシグナル線のクロスポイントの判断では遅い

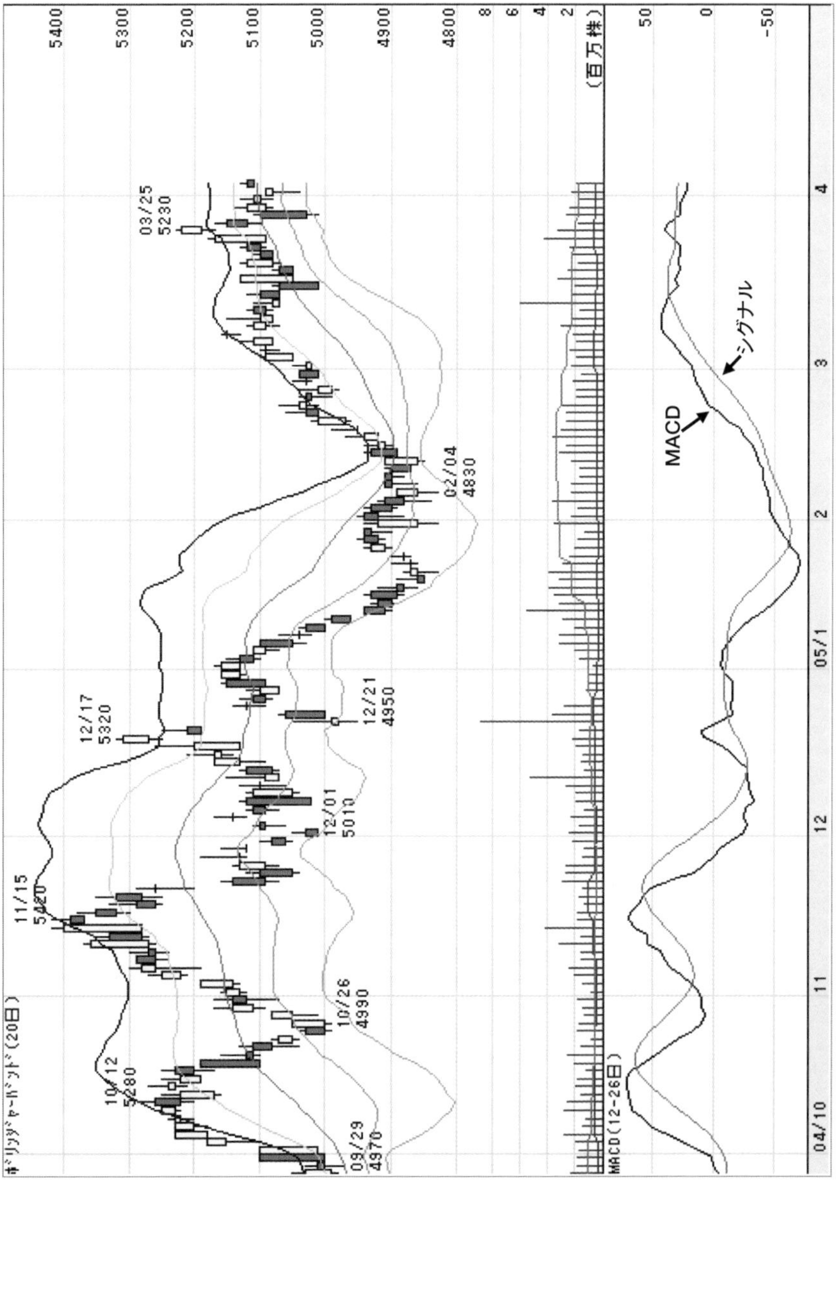

Ⅳ-5

5 MM法を使って売買する
──売買条件、「底」の確認、手仕舞いの方法

●4つのチャートを組み合わせて使う

MM法はこの4つの指数の組み合わせ、つまりトレンド系のボリンジャバンドと、オシレータ系のRSI、DMIおよびMACDを組み合わせたものです。よくRSIの代わりにRCIはどうだとかの質問を受けますが、MM法は数年かけて検証したものです。言うまでもなくRCIも検討済みです。

また、MM法での各指数の平均日の選定にも、今日の速い値動きの傾向を織り込んで平均日を短くしたり、あるいは比較的長く従来と変わらないようにしたりと、長期間の試行錯誤の末に生まれたも

ので、それなりの理由があります。

たとえば、ボリンジャバンドは通例26日平均を採用しますが、MM法では20日です。

RSIは14日平均です。考案者ワイルダーの通りになっておりますが、決してそれが採用の理由ではありません。MM法ではRSIを単体で用いるのでなく、他の指標との総合的な組み合わせで利用します。長い試行錯誤の末の決定です。しかし、状況に応じて平均日を変更して判断する場合がありますが、それはMM法に習熟された経験者用です。

すでに申し上げましたが、これはMM法の重要点でもありますので、もう一度強調しておきます。

DMIの中のADXは通常の使い方とは異なり、1日平均、つまりDXをそのまま使います。これは、極端に見えますのでよく議論となる点ですが、これも試行錯誤の末の決定です。

MACDは通常の方法と変わりませんが、売買判断の基準は大きく異なっております。

6カ月スパンのチャートを作成し、その中でMACDが最も低い位置において買いを、また最も高い位置において売りを行います。その詳細も後述します。

まずはMM法のチャートをお見せします。

このチャートⅣ-6はホンダ(7267)のもので、前出のボリンジャバンドの説明に使ったものと同一の期間、6カ月ですが、ボリンジャバンドにRSI、DMIおよびMACDを下に付け加えたものです。A点が絶好の買いのポイントです。

これによって売買点を決定します。

Aが絶好の買いポイント

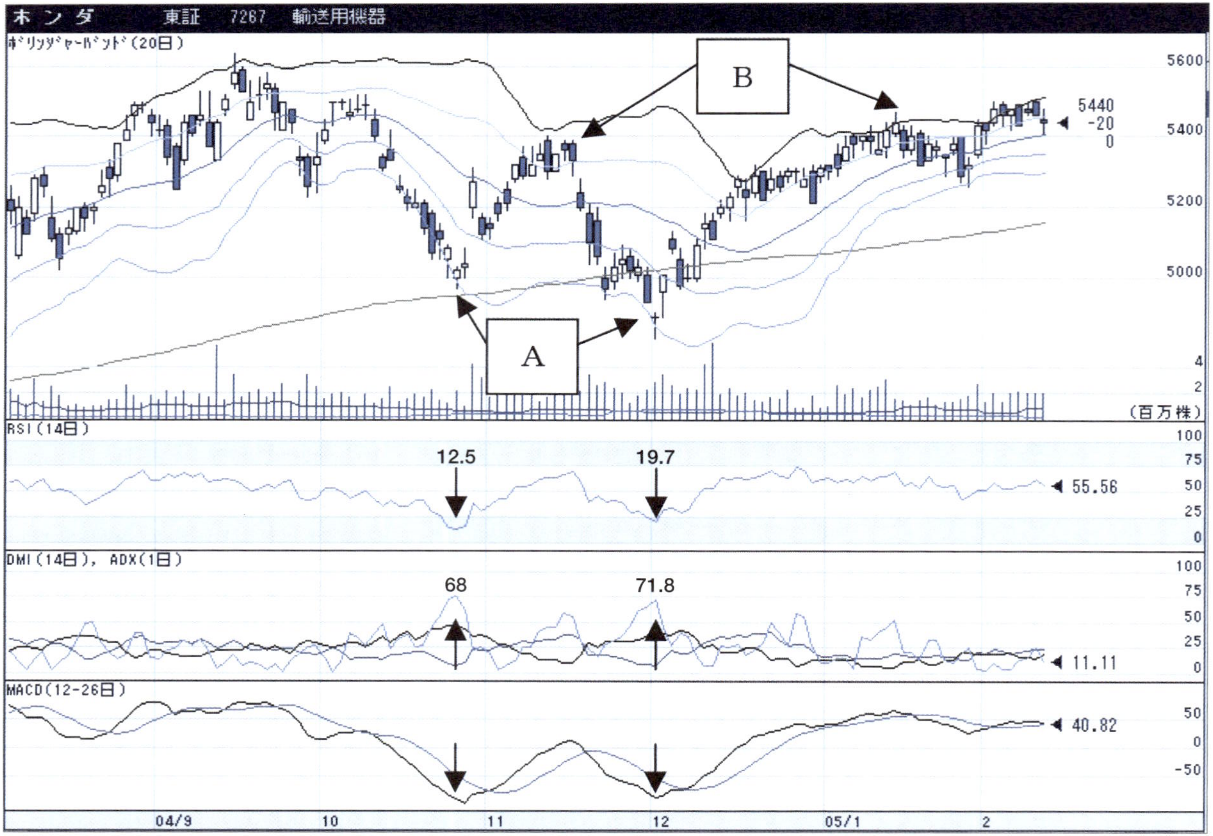

Ⅳ-6

●かなり厳しく売買条件を絞る

MM法の4つの指標を次のように使います。

表17

買いの条件

株価 $< -2\sigma$

RSI < 25

ADX > 75

MACDが6カ月スパンのチャートで最低の位置でシグナルとの乖離が最大のところ

売りの条件（カラ売りの場合）

株価 $> +2\sigma$

RSI > 75

ADX > 75

MACDが6カ月スパンのチャートで最高の位置でシグナルとの乖離最大の点

この条件がMM法における売買の基本です。

よく質問を受けるのは、たとえば「RSIの平均日は14日ですが、これを13日にしたらどうか」とか、「買いはRSIが25以下だが、26ではだめなのか」などです。

先にも申し上げましたが、株式は数学ではありません。したがってRSIの平均日を1日ずらしたから、また指数を1つだけ大きくしたからと言って結論が変わるわけではありません。

しかし、株式に成功する要素の1つに、継続は力なりとする考え方があります。したがって、この基本はそのまま使用し、充分な経験を経過した後に「自分にはこの方法、あるいはこの変更が合っている」と思われるなら、そのやり方に習熟されることが重要だろうと思います。

しかし、私の編み出した基本は長時間の試行錯誤の結果ですので、この基本を変えるのは自分の負うリスクとの相談であることは充分にご留意願いたいのです。

さらに、この売買条件はかなり厳しいものです。というよりこの条件に合う売買チャンスは非常に少ないと言えます。「もう少し条件を緩和するとさらに売買の機会を増えるのに」という疑問が湧きます。そしてこの条件を緩和して売買し、成功することはあるのです。

しかし、株式においては、それはリスクを負いながらの成功です。このリスクは条件を緩和した人の才覚によってとるべきものです。成功したからといって、常に通用するものではありません。

MM法の売買手法を端的に言えば、ボリンジャバンドで該当銘柄の株価の統計的な安値、高値を探り、その点でのRSIの位置で株価の相対的な高低を確認し、株価変動の加速度の大きさをADXで調べ（大きいと過剰反応が起こりやすい）、MACDでいずれシグナル線とクロスするであろうが、それでは遅い。その前のシグナル線との乖離最大を売買点判断とする、というのが特徴です。

●「底」を確認するから安全

別の言葉では、非常に安全性を追求した手法です。まずその意味を具体的に見ましょう。

ここでは皆様があまりご経験がないとして、カラ売りの話は外して買いのみに限りご説明します。

ボリンジャバンドの底で買いを入れるのですが、これがなぜ安全なのか。従来の考えとは180度異なります。

従来の考え方は、株価が底から脱出するのを確認してから買いを入れるというものでした。移動平均線を用いたグランビルの手法を見ても、一目均衡表を見てもすべてこの思想が入っております。だが、MM法は違います。

株価の底で買うのが最も安全なのです。たとえば底値が1,000円であった株を買うと仮定します。従来の方法では、多分1,050円くらいになってから買いを入れるサインが出るでしょう。もし1,050円で買って、その株価が1,000円近くまで下がってきたらどうなりますか。1,000株の場合、5万円の損失が出ます。これは値動きの速い今日の相場では常にあることですが、この損失に投資家が耐えられるでしょうか。

しかし、1,000円の底で買うことができたとすると、1,000円に下がってもそれほどの悲壮感はありません。この余裕が株式売買を成功させる心理上の分岐点になるのです。

自己資金を用いる個人投資家にとって株を底値で買うことは、売って取る利幅を大きくすることはもちろんのこと、それよりもっと

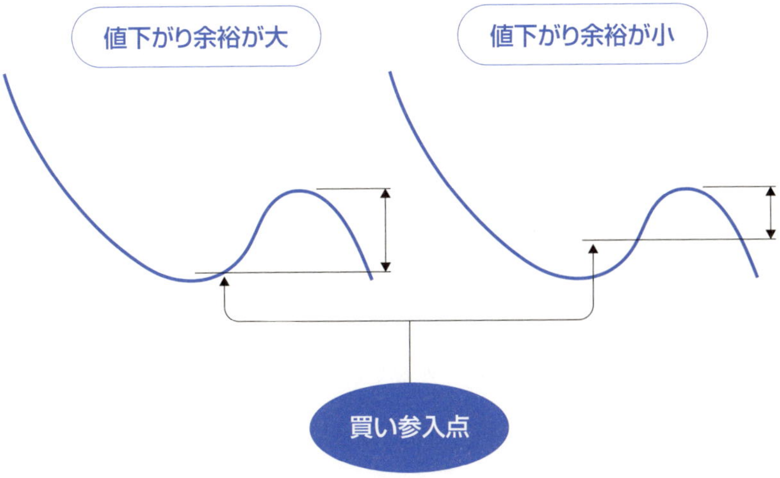

重要なことは、投資家が追い込まれないようにするのが目的なのです。この心理作戦は大きなポイントです。

問題は、「では、どのようにして株価の底を判断するのか」という点です。このために、ボリンジャバンドだけでなく、RSI、DMI、MACDという指数がこの判断に威力を発揮します。

前出のⅣ-6図で[A]点を見ましょう。株価はボリンジャバンドの－2σより下になり、RSIは共に25以下であり、ADXはおよそ75、MACDはチャート上では最低の位置で２本の線の乖離が最大になっています。つまりMM法の買い条件をほとんど満足しています。安心して最も安い株価で買うことができます。[B]点は売って決済す

表18　〈MM法〉の基本理念①

○株取引の基本は、安いときに買い、高いときに売る。これに尽きる。すると底で買い、天井で売るということだが、従来は不可能だと言われてきた。

○〈MM法〉はこれに挑戦する。

○〈MM法〉は取る利幅を最大にするのが目的。それは利幅が大きいと損失を被る可能性が低い、〈リスク〉が低い、と考えるから。

○従来のすべての方法は、株価が底で十分陽転したことを確認して買い、天井で十分陰転したことを確認して売った。それは〈リスク〉が低い方法だと考えられた。だが、今日の値動きの速い相場では、それでは〈リスク〉が高いと考える。

る点を示しました。

このようにMM法の基本は株式売買の基本と一致します。安いときに買い、高いときに売るという姿勢です。従来の方法ではこれができなかった、しかし、MM法ではこの理想に近づくことができるのです。

●ボトム足、トップ足の確認

MM法は株価の底で買い、天井で売るのを理想としますが、逆張りを勧めません。逆張りとは、たとえば買いの場合、株価がまだ最低の位置に来たことを確認しないで、本日の株価が最低点ではないかと自己判断して直ちに買いを入れることです。次の日がさらに下がるかもしれないということを確認しない方法です。

買いの場合、次の日が上昇して昨日のローソク足より高い株価を示した時、初めて昨日の株価が最も安いものであったと判断して、買いを入れます。この昨日の最も低い株価の足をボトム足と呼びます。反対に最も高い足をトップ足と呼びます。

しかし、こうするとMM法の理念の１つでもある、本当の底では買えないのではという疑問は残りますが、それは止むをえません。底で買うという理念と、逆張りをしないという手法とのわずかばかりの妥協です。

したがって、売買に参入するのは買いの場合ボトム足、新規売り（カラ売りの場合、買いの決済売りではない）の場合にはトップ足を確認してから、次の日です。ザラ場での株価を知ることのできない環境の方、たとえば相場が寄り付く９時にすでに仕事をされている方は、このボトム、トップ足を確認できませんから、さらに次の日だということになります。

ここではシニアのビギナーの方を対象にしているので、買いに重点を置いて説明します。

Ⅳ-7図は典型的なボトム足、トップ足を示しましたが、実際にはこのように典型的なもの以外に数多くあります。したがって、実例を示し切れませんが、経験を積むことによってこれはボトムだ、トップだと判断できるようになります。

買いの場合このボトム足を確認することは極めて重要です。しかし狙った銘柄、あるいは相場環境の影響で、図示したような単純な１本のボトム足が出現しないかもしれませんが、それが底だと判断できるようなら買いに参入できます。

図に示すSLとは、「ストップロス」のことです。別の表現では「損切り」と言います。

個人投資家の項で強調したように、個人投資家はこの損切りが下手です、というより非常に苦痛を伴いますのでしたくないという気持ちになります。どこに損切り点を置くのか、もっと待っていれば回復して損切りをする必要が消えるのでは、などと悩むところです。したがって投資家の心理としては「自動的に切るのだ、自分のせいではない」と思うような手法が必要なのです。

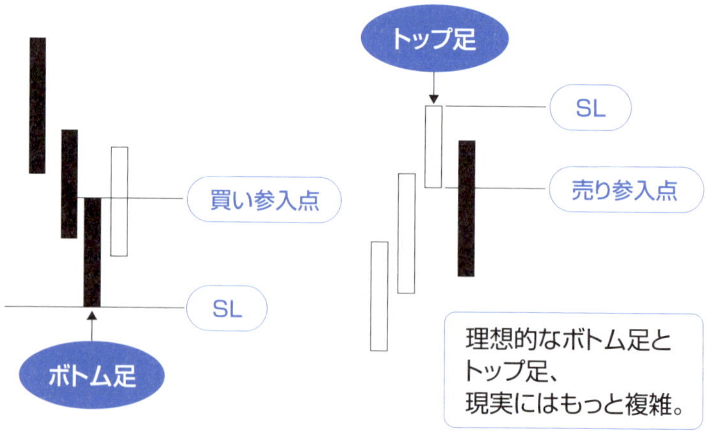

Ⅳ-7

MM法では買いの場合、ボトム足の最安値にストップロスレベル(損切り点)を置きます。買って上昇すれば問題はありませんが、常に成功するとは限りません。株価が買い価格より下がる場合があります。そのときに上記のような条件がきたら切るのです。

前述のように個人投資家はプロより損切りが下手です。というより取り引きは自分の資金を使ってのものですから感情が入ります。したがってやりにくいものですが、これが個人投資家を危険なワナに陥れる大きな問題点なのです。

損切りをした点は、直近の最安値だったわけで、これは一種の抵抗線として機能します。抵抗線とは株値が下がってそのレベルに達すると、それ以下には行きにくい、つまり抵抗するレベルのことです。しかし、もしそれ以下になると抵抗は消え、反対に再びそのレベルを超えるには何らかの理由が必要だということになるのです。

表18　〈MM法〉の基本理念②

○〈MM法〉は基本的に待ち伏せをする。

○優秀な銘柄が底を打つのを待って買いを入れる。

○ぼろ株が天井を打つのを待って売る。

○〈MM法〉は逆張りをしない。そのために真の底か、天井かを確かめる。つまりボトム足かトップ足の出現を確認する。

○それでも思惑に反する場合もある。そのときはストップロス手法を用いて、損失を最小限に限定する。

○〈MM法〉は1勝4敗でも利益を出せる。

というのはこの損切り線、つまりその銘柄の直近の最安値は投資家が記憶しており、それを超えるにはこのような投資家の間にコンセンサスが形成されなければなりません。つまり株価はそこで上昇をストップさせる可能性があるのです。したがって、そこで株を決済売りしておくというのがストップロス手法なのです。

この手法は株取引には絶対です。個人投資家を守る方法だとお考えください。

●手仕舞いの方法

手仕舞いとは、保持している株をどのようにして反対売買して利益を出すかの方法です。この手仕舞いが下手では利益をあげられません。ところが私が見る限り、個人投資家は手仕舞いがあまり上手ではありません。

失敗の１つは、早く売買しているポジションを外して、わずかでも利益を出して安心したいという気持ちの弱さの問題です。過去にあまり成功しなかった、あるいはひどい目にあった人はこのような選択をします。

他の１つは、買った持ち株が一旦は下げているが、「これは上昇過程の綾だ、いずれもっと上がるはずだ」と保持し、その後急速に下がったが損切りする勇気がなく塩漬けにしてしまう、というものです。これは個人投資家の最も多い手仕舞いの失敗です。

いずれにしても今日の相場では、買ったものは短期に売却して利益を取っておくという姿勢が必要です。

買った株を売って手仕舞いする方法は、新規の売り、つまりカラ売りとは本質的に違います。今まで売買として言ってきたのは売りに関してはカラ売りのことでした。返済売りは考えも方法も違うのです。

Ⅳ-８図の左は買い株の手仕舞い領域を示したものです。買った株

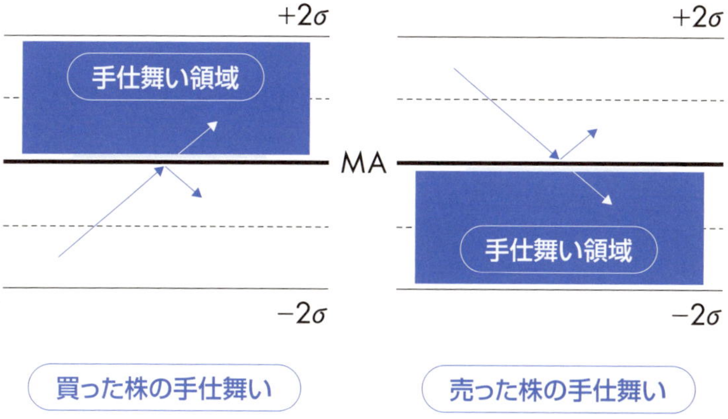

Ⅳ-8

の株価が上昇してきてまず最初に突き当たるのは多分MAです。MAはボリンジャバンドの中間に位置する線で、その意味は20日移動平均線です。この線は一種の抵抗線であり、上昇した株価が最初に突き当たる抵抗線でしょう。すると株価は跳ね返るか、それを超えてさらに上昇するかです。

跳ね返ったものは直ちにその場で手仕舞います。しかしこれはよほど相場が悪いときか、難しい銘柄を購入したときでしょう。多くは抵抗を上に抜けて＋２σ線に向かって上昇します。図で手仕舞い領域と書いたのは、この領域ではどこでも手仕舞いするのがベターだというものです。

ただし、トップ足を確認して手仕舞いをするのです。トップ足を確認しないで、やれやれここまで来たからには安心だと手仕舞いをするのは愚かです。

この領域でトップ足が出現しないで一目散に＋２σ線まで上昇するのは素晴らしい銘柄です。＋２σ近傍で手仕舞いを行えばそれはベストでしょう。

●実践例

Ⅳ-9図は典型的なMM法の買いのチャートを示しました。銘柄は中外製薬（4519）です。

買い参入点は、先に述べたMM法の買い条件を満足したボトム足の次の日です。決済売りは株価がボリンジャバンドの上端である＋2σ に届き、しかもトップ足を確認して足の安値に売り点を求めます。この場合はトップ足が大陰線でしたので、トップ足の安値でなく、足の中間部を売り点としました。

前述のように、買い参入し、株価が上昇してボリンジャバンドの中間線であるMAを超えるかどうかの判断は上級者の腕となりますが、株価が勢いよくMAに近づいてきたもの、たとえば連続陽線で近づいた、あるいは窓を開けて近づいたようなものは、MAを上に抜ける可能性は高いものです。これに反して、陽線と陰線とが混在しながら上昇するが、勢いがよくなかったものは、MAで跳ね返される可能性が高いのです。

Ⅳ-10図に示したものは、日本板硝子（5202）のものですが、2004年10月27日に352円で買い、その後株価は上昇し、ボリンジャバンドの中間線であるMAは窓を開けて通過しています。これは上述の勢いのある上昇です。すると株価はさらに上昇し続けてボリンジャバンドの＋2σ に達します。勢いが強いとさらにこのボリンジャバンドの＋2σ 線を押し広げて上昇します。この日本板硝子の当時の株価の勢いは相当強いものだったと判断できます。

株価がボリンジャバンドを押し上げてさらに上昇するかどうかは上級者の判断ですが、MACDを括弧で囲んだところが要点です。2本の線がクロスすることなく上昇しているのがそれで、これはさらに上昇するサインです。私は「MACDの花が開いている間は手仕舞いをしない」と言います。MACDとシグナル線の乖離が大きく

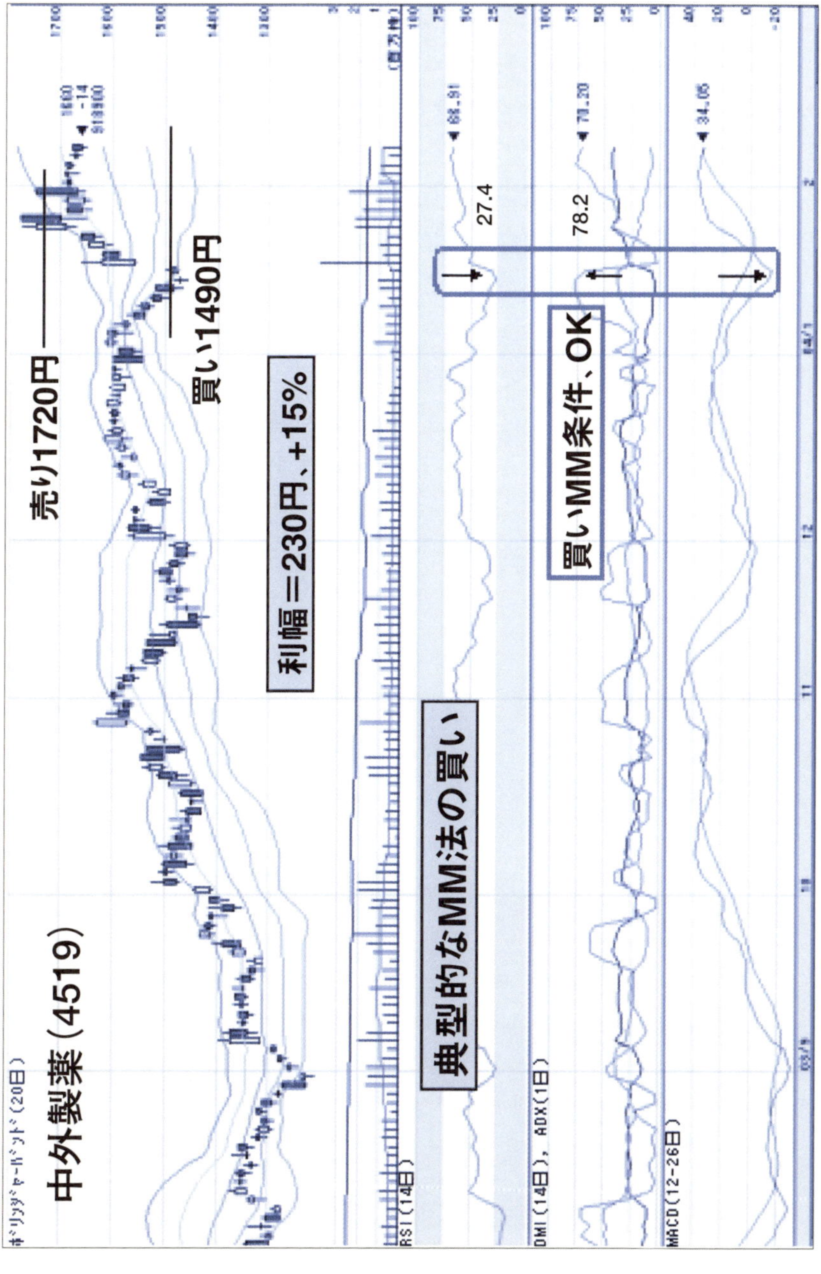
中外製薬（4519）
売り1720円
買い1490円
利幅＝230円、+15%
典型的なMM法の買い
買いMM条件、OK
27.4
78.2
RSI（14日）
DMI（14日），ADX（1日）
MACD（12-26日）

Ⅳ-9

て、あたかも花が開いているようなのでこのように言います。「花がしぼみ始めると手仕舞いする」とも言っております。この図でも、結局12月7日まで手仕舞いを我慢し、トータルで17%の利益を得ています。

このようにMM法では買い参入点の位置が非常に明確に認定できます。他の分析手法では誰もが同じ判断をすることが不可能であり、そこに経験者と初心者の差が大きく現れます。MM法はこれが少ないと言えます。

同じことは手仕舞いについても言えます。

一般に手仕舞いは難しいと言いますが、MM法ではそれほどの経験を必要としないのがお判りになったと思います。

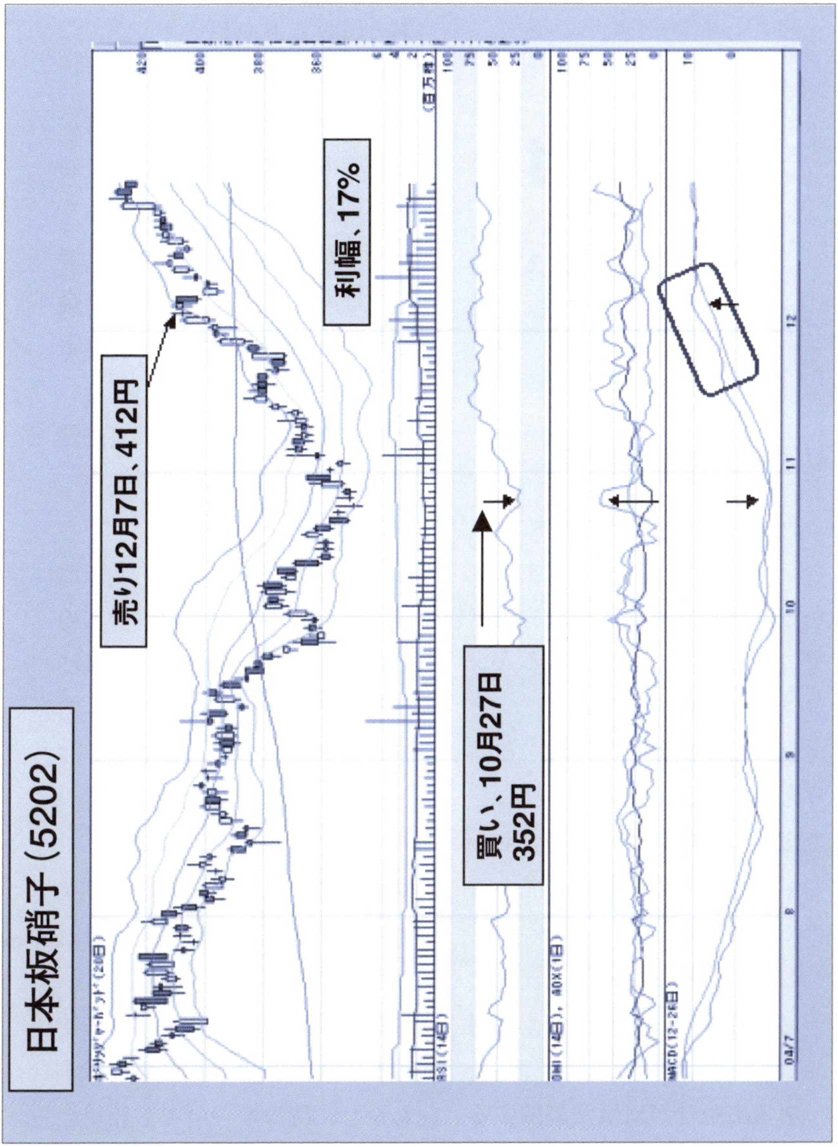
日本板硝子(5202)
売り12月7日、412円
利幅、17%
買い、10月27日
352円

Ⅳ-10

column

取引回数は少ないが、それでいい

リスキーを避ける方法

MM法というのは、私のイニシャルを取ったものです。しかし弁解しておきますが、自分でつけたものでなく、ある人がつけたものです。

私は「格好が悪いな」、というと、「ではmoney makingでよいじゃないですか」とおっしゃった。そこからも来ているのです。

しかし、私はMM法を安全第一に儲ける手段として考え、開発しました。

ある出版社がMM法に関する本を出版しようとしたとき、このMM法の評価を複数のプロに聞いてみました。結果は惨憺たるものです。私はその結果が判っていたのです。というのはプロたちが運用する資金は自己資金ではありません。他人の資金です。したがって安全というよりリスキーでも利益を上げたいと願っている人種です。MM法とは180度異なる方向を向いています。

「これでは安全を狙いすぎて取引回数が極端に少ない」などの意見が出ました。むしろMM法はそれを狙っているのです。常時取引はしない。ここぞというときしか出動しない。他は待つのです。しかし、プロはこれでは食っていけません。まず職業的にサボタージュをしているとみなされるでしょう。

個人投資家にとって、この待つということは非常に重要です。しかし、待つといっても相場の中で、待つのです。いくら株式情報誌が今買いだといっても、またアナリスト、ファンドマネジャーたちが、これからの日本の経済を見ると今が買い時であると言っても、テクニカルに納得できない時期には取引を休むのです。

こんなことを考えているとき、ふと見た本間宗久の「本間宗久相場三昧伝」に次の句がありました。文語体ですが、少し私なりに翻訳して書いてみます。もちろん米相場のことです。米の代わりに株式と言い換えて書いてみます。

「１年中では2、３度以外に取引をするチャンスは無いものと考えよ。株式の上昇、下落をよく見て、買い場と見るなら勇敢に買いたてよ。しかし少しでも不安があるなら何カ月も買いを見送り、これならと思うときに仕掛ける。時々気が変わるようでは利益を生むことは困難なり」

とあります。約200年前の教えですが、私は個人投資家にとってのすぐれた訓話だと思います。

この他に、面白い訓話もあり引き続いて書いてみます。

＊株価が上昇し、今日中に買っておかなければと思うときは２日待つべきである。必ず下げると売り気になっているときも２日待つべきである。これは極意の秘伝である。すべて株価が天井に近いときは売ることのみを考慮する。底値に近いときは買うことのみを心がける。このことを忘れるな。

＊腹立ち売り、腹立ち買い、決してすべからず、大いに慎むべし。

＊商い進み急ぐべからず。売り買いともにこれだと思い込むと、今日よりほかに商いの場が無い様に思うものなれど、

これは成功しないものである。
何ヵ月も見合わせ、流れを考え、確かなところで仕込むべきである。天井値段、底値段の考えも持たないで仕込むと手違いになるなり。

などと、88章まで記しており、89章目には、「この本は懇意な間柄の人にも絶対に見せてはならない。なにも私だけが富を取ろうとするわけではない。この本の意味を充分理解しないで気安く売り買いすると手違いが起こり、ときによっては身を滅ぼし、恨みを買うことになる。絶対に見せてはならないのである。この＜三位の伝＞は天下にまれなる法則であり知る人は少ない。この法にしたがって売り買いするときは利運に恵まれ損をすることがない。大切に秘蔵し、他人に見せることをつつしみ秘密にすべきである」

と結んでいます。

私がある地区でMM法のセミナーを行ったとき、聴衆の1人が「そんなに何もかも公開すると、みんなが真似をして効果がなくなるのでは」と質問しました。そうかもしれません。しかし、私は本間宗久ではないのです。

一番儲ける方法は、本も書かない、セミナーもしない、ホームページも持たない、自分一人でトレードすることだということを、私は充分に知っております。

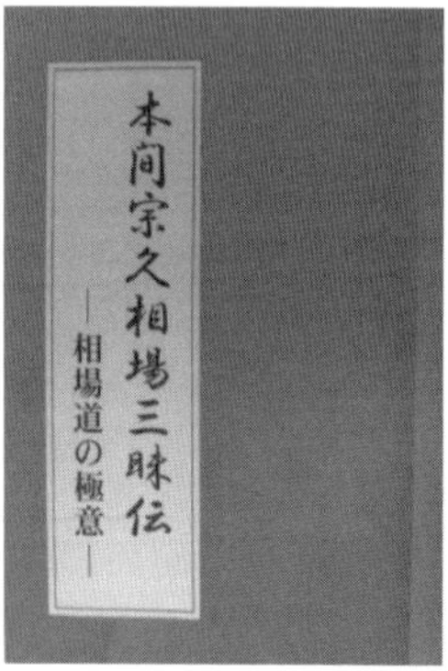

第5章

より確実なMM法に習熟する

1 MM指数で相場を読む

●持っている武器を使いこなす

個人投資家はどんな環境で取引を行い、したがってどのような習癖を持ち、どのような失敗をするかなどの概略は申し上げました。もちろん現在の主流であるインターネットを用いた取引では、個人投資家が従前のような不利な環境に置かれることのない事実は強調したつもりです。

しかし、皆様には少し耳が痛いでしょうが、ぜひとも申し上げたいことがあるのです。それは個人投資家、とくに株式の取引にあまりご経験のない人に限ってかなり教条的な人がいるということです。この人たちにテクニカル手法をご推薦すると、その手法、つまり私の場合にはMM法ですが、その通りにしたら確実に利益を上げられると錯覚されていることです。マニュアルの通りにしなくて失敗をすれば自分で責任を取るが、マニュアル通りにやって失敗したときにはマニュアルを作った人の責任だという論理です。

こういう責任転嫁の考えは現代社会にありがちであり、特定の領域では通用すると思います。しかもこの風潮はある時代に教育を受けた人の根強い傾向です。しかしシニアの方には無縁だと思い安心して話を進めます。

まず個人投資家にとって株取引は自己資金をかけるがゆえに、その人にとっては真剣勝負だと申し上げました。真剣勝負に臨むに、他人の武器、使いこなせない武器を持って勝てるはずがありません。よい武器を持つのは当然としても、その武器を使う技術を磨くべきです。同じ武器を持ち一人は成功し、他の一人が成功しないとなると、それはこの磨くべき技術の差です。考えてみてください。もしMM法のマニュアル通りにして常に成功するというなら、本書を読んだ人はすべて金持ちになるはずです。それほど株式取引は易しいものでも、また単純なものでもありません。

本章ではこの技術を磨く手法をご紹介して行きます。

●ボリンジャバンドの上にはみ出す「ボロ株」

「MM法は逆張りをしない」と申し上げました。以下は、日経平均値による相場の判断です。全銘柄の1割も対象にしていない日経平均で相場を判断するのに問題があるのは承知の上で述べます。

日経平均が下げている最中に、MM法である銘柄に買いの条件が出たからといって、当該銘柄に無条件に買いを入れるのは逆張りです。極端には日経平均がボリンジャバンドの上にはみ出したような時点、つまり日経平均値が高い位置にいるときに、MM法の買い候補銘柄検索を行い、検出された銘柄は買えると直ちに出動する人がいます。日経平均がこのように高い位置にいるときに、買えるような銘柄が残っていると考えること自体がナンセンスです。もしそのような買い候補銘柄が検出されたとなると、その銘柄は投資家に見放された銘柄であり、とてもマーケットが相手にしないような「ボロ株」だとご判断ください。買い銘柄候補にはなりません。

日経平均とは、日経新聞が東証一部から225銘柄を、その時期に応じて選び出したものですので、すべての銘柄が日経平均と同じような挙動をするわけではありません。しかし、上記のような相場の時に買いをあえて入れるのは自滅行為です。

もちろん銘柄によってはその時期から上昇するものもあるでしょう。ですが、私はそのような時期での買いを「難しい買い」の1つだと言います。「難しい買い」とは、

1）買いのMM条件が充分満足されないが、「こんなに下がっているのだから買っても良かろう」と判断して買う。

2）日経平均値がかなり高い位置にいるときに、たまたま株式情報誌などの推薦銘柄を買う。

3）日経平均が天井を通り越して、下げのトレンドに入った段階で買う。

などはすべて「難しい買い」です。もちろんこのようなものでも、利益を出すことは可能です。しかし、相当な経験と、相当な気配り

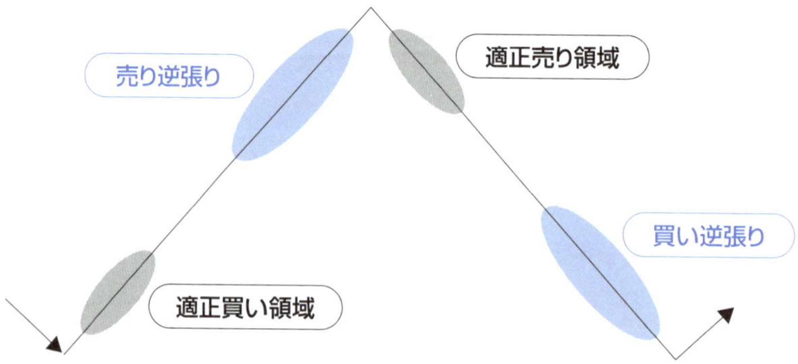

が必要です。少し油断をすると、すーっと下げてどうしようもないところまで行ってしまいます。するともはや売ることもできないで、「そのうちにまた株価は回復するだろう」と期待して塩漬けにすることになります。
「難しい買い」では、株価の底で買っても一般には利幅が取れません。少し上昇してもMA（ボリンジャバンドの中間線）で反射し、びっくりして損切りをした途端にまた上がり出すなど、このようなことがしばしば起こります。
すると、どのような銘柄がこの抵抗線を乗り切り、さらに高値を追求するのかと判断する必要がありますが、すでに申し上げたようにMM法を少し長くご経験すれば、この判断は可能です。

●日経平均の天井、底を判断する

個別銘柄の動きと、3千数百上場銘柄の中から抽出された、せいぜい225銘柄の株価を反映した日経平均値とが一致するわけがないのは上記の通りです。しかし、そうだからと言って、個別銘柄の売買に日経平均値の挙動を無視することは危険なのです。ではどのようにして日経平均の天井ないし底を判断するのか。それを判断する手法がここでご紹介するMM指数です。これは今までにない、筆者が考案した指数です。
巷間、この指標は日経平均先物に効果があると噂され使われているということを聞きます。私はその効果を否定しませんが、開発したのは、あくまでもMM法の成功率を上げるためです。
MM法では株価の高い低いを判断するのはボリンジャバンド、つまり正規分布とその偏差値を使いました。MM指数もこの統計的な原理を使います。
MM指数は【＋MMI】と【－MMI】からできています。
【＋MMI】はたとえば東証一部全銘柄のうち、＋2σより株価の高い、つまりめったにありそうもない位置にきた銘柄の数を示します。また【－MMI】は同様に－2σより株価の低い銘柄の数を示します。

V-1図はそれを示したものです。

図では、黒線カーブおよび、右縦軸が日経平均値、青線カーブは【＋MMI】、点線カーブは【－MMI】、左縦軸はMMIの数値を示します。これを見ると上げ相場の時には青線が主に現れ、下げ相場では点線が支配しています。なぜかは次に示すV-2図によれば明らかです。

V-2は東証1部銘柄の株価分布を示したものですが、正規分布（前出）しているものと考えます。ある日相場が上昇すると、MAは20日平均値ですのであまり変動しませんが、正規分布全体が右にシフトします。すると、＋2σより右にはみ出た銘柄数が増加します。反対に相場が下降すると、－2σより左にはみ出た銘柄数が増大します。この＋にも－にもはみ出した銘柄の数を示したのがMM指数です。

元に戻って、V-1のMM指数図では2004年4月26日までは上げ相場であり、この領域では青線が支配的です。しかしそれから相場は急落し、大きな点線の出現と共に5月17日の底まで落ちています。その後日経平均値は2004年7月1日まで上げ、その後8月16日まで下げています。その後は12月10日まで点線と青線が混在し、相場はもみ合いの状態です。その後は2005年2月初旬まで上昇しており、青線が支配的であるのがお分かりと思います。

このように点線は下げを、青線は上げを示唆し、特に両線のピークは日経平均の底と天井の位置と一致します。

このようにMM指数はそのパターンによって現在が日経平均の底か、天井かを示す指数となっています。もしMM法で買いの場合、点線が出現した底で買いを入れ、売り（カラ売り）の場合、青線が

株価の上げ下げとMM指数が連動している

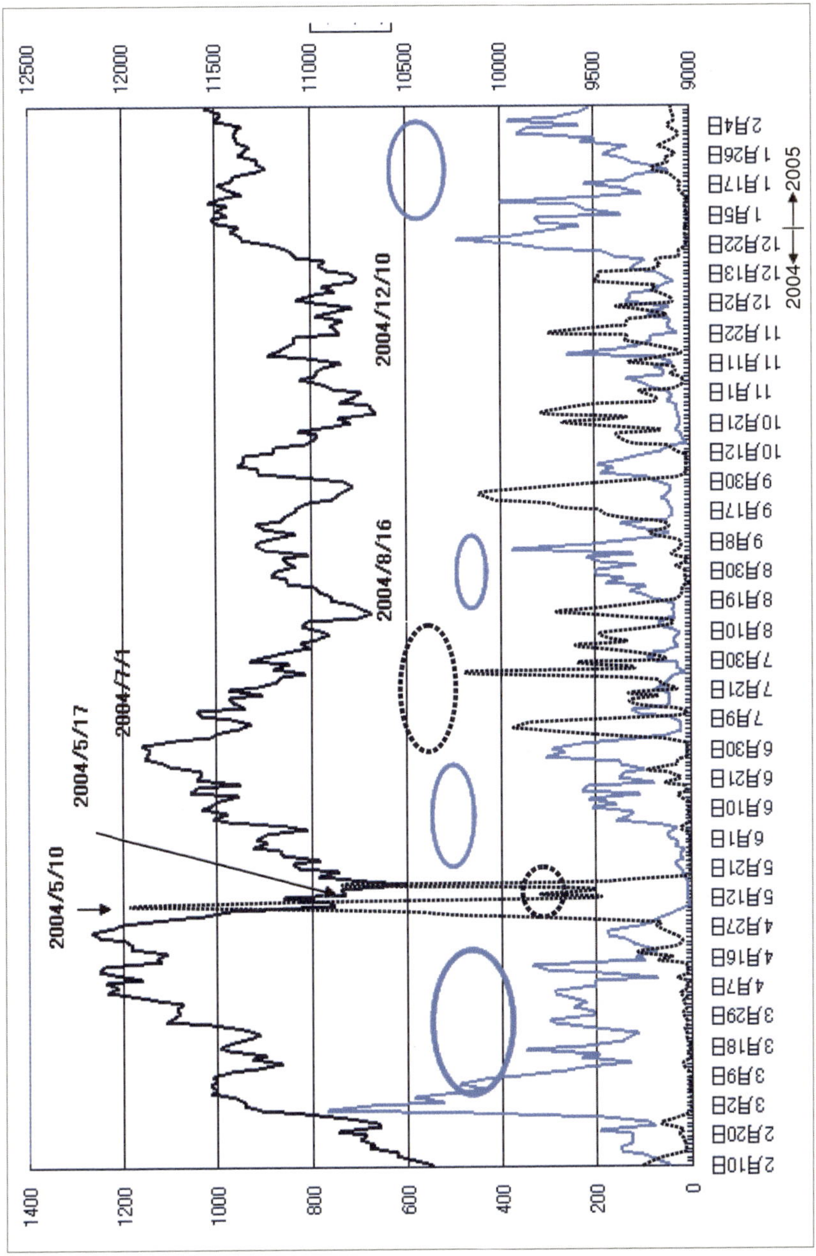

V-1

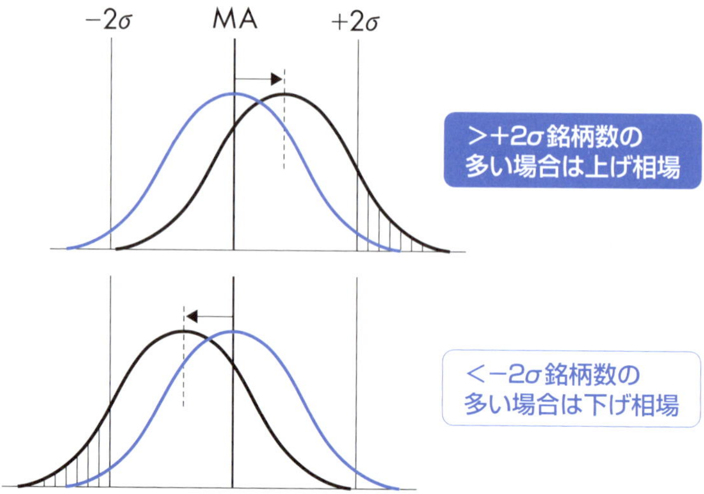

V-2

出現した天井で売りを入れるのが最も効果的な売買の参入点です。

MM法の売買条件だけでは、順張りであるという確信を得るのが難しいですが、MM指数と併用して、MM法での売買がより効果的でまた安全なものとなります。

このV-1図からは、2004年の5月17日が直近で最も効果的な買いを入れるポイントでした。

●MM指数の目覚ましい効果

私が習慣的に用いているソフトIticker（179頁の脚注参照）を用いて5月17日の買い銘柄検索を行うと318銘柄も検出されました。その一部はV-2-1図に示します。

通常の相場のときにはこのように多くの銘柄が検出されるわけではありませんが、2004年の5月17日は年に1、2回しか現れないほどの相場の底でした。

当然この検出された銘柄を何の検討もなく買うわけではありませ

ん。やるべきことは前出のMM法で言うチャートで、全検出銘柄を精査します。318も検出された銘柄を精査するのは面倒だと言われる方は儲ける資格がありません。1取引で数十万円も手をこまぬいて儲けることができるほど、この世の中は甘くありません。

さらに個人投資家として収集可能なファンダメンタル情報をすべて見ます。当銘柄の直近の業績発表はどうであったか、またどこの証券会社のアナリストがこの業績発表でどのような判断を下しているか、などは重要なポイントでしょう。

最近できた「Yahooファイナンス」の中の「ロイター銘柄レポート」は最高のものでしょう。ただし、安い会費を支払う必要があります。

http://charge.biz.yahoo.co.jp/report/sector33/
brabd report/7201.html

さらに過去に自分で取引した経験があるなら、その銘柄固有の癖も判断材料となるでしょう。

試しに、上記の検索銘柄から私が選択した買いの実際を示します。2銘柄しか図示できませんが、実際には検索されたほとんどの銘柄が利益を出しています。私個人としてはこのとき1年分の買いを入れました。

V-3とV-4に図示したのは、トレンドマイクロ（4704）と日産化学（4021）の2銘柄です。ともに2004年5月17日近傍に底を打っており、また当然ながらチャート上での買い銘柄の条件は満足されております。

このように、安心して売買できるのは年に2、3回あるか無いかですが、MM指数はこの時期を過ちなく告げてくれます。また、このような好機を見逃さないのも個人投資家が成功する秘訣です。

以上は2005年5月17日前後の買い場における例を示しました。しかし、それ以外にもMM法による買い銘柄選定の例をソニー（67

チェックの入ったところに注目!

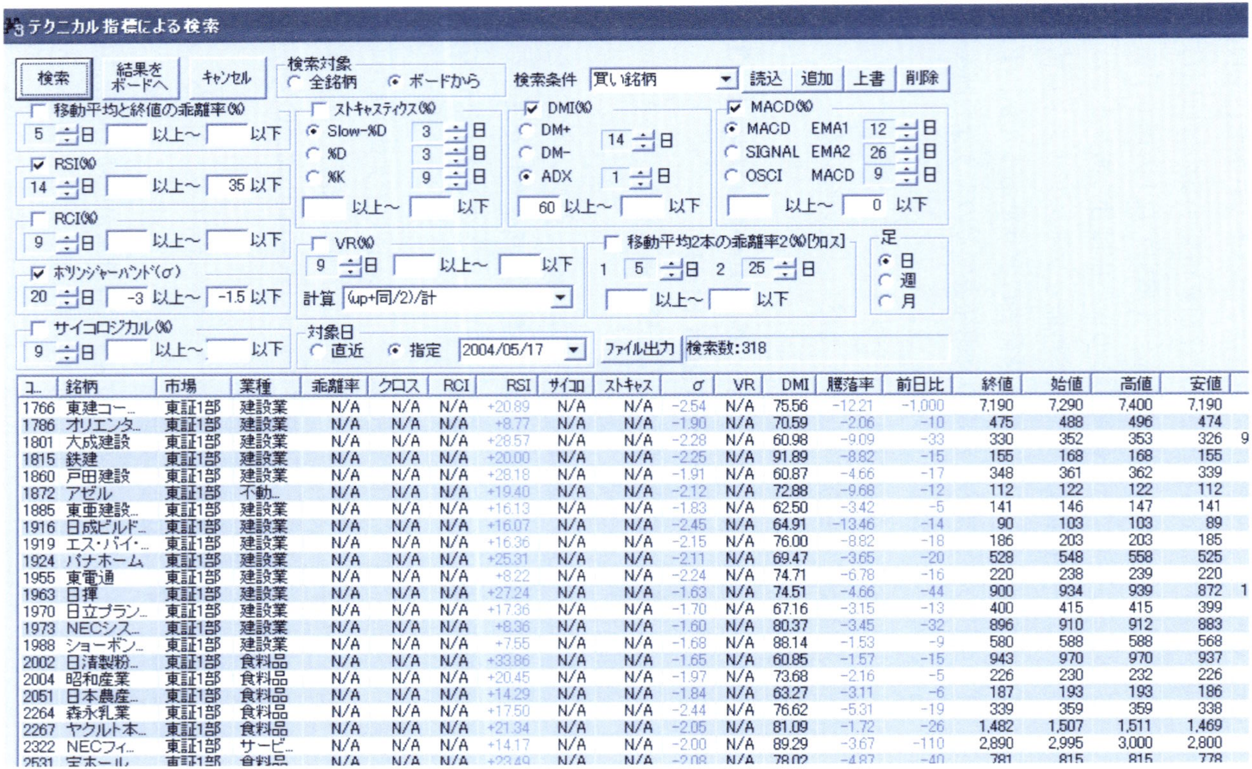

コ...	銘柄	市場	業種	乖離率	クロス	RCI	RSI	サイコロ	ストキャス	σ	VR	DMI	騰落率	前日比	終値	始値	高値	安値
1766	東建コー...	東証1部	建設業	N/A	N/A	N/A	+20.89	N/A	N/A	-2.54	N/A	75.56	-12.21	-1,000	7,190	7,290	7,400	7,190
1786	オリエンタ...	東証1部	建設業	N/A	N/A	N/A	+8.77	N/A	N/A	-1.90	N/A	70.59	-2.06	-10	475	488	496	474
1801	大成建設	東証1部	建設業	N/A	N/A	N/A	+28.57	N/A	N/A	-2.28	N/A	60.98	-9.09	-33	330	352	353	326
1815	鉄建	東証1部	建設業	N/A	N/A	N/A	+20.00	N/A	N/A	-2.25	N/A	91.89	-8.82	-15	155	168	168	155
1860	戸田建設	東証1部	建設業	N/A	N/A	N/A	+28.18	N/A	N/A	-1.91	N/A	60.87	-4.66	-17	348	361	362	339
1872	アゼル	東証1部	不動...	N/A	N/A	N/A	+19.40	N/A	N/A	-2.12	N/A	72.88	-9.68	-12	112	122	122	112
1885	東亜建設...	東証1部	建設業	N/A	N/A	N/A	+16.13	N/A	N/A	-1.83	N/A	62.50	-3.42	-5	141	146	147	141
1916	日成ビルド...	東証1部	建設業	N/A	N/A	N/A	+16.07	N/A	N/A	-2.45	N/A	64.91	-13.46	-14	90	103	103	89
1919	エス・バイ・...	東証1部	建設業	N/A	N/A	N/A	+16.36	N/A	N/A	-2.15	N/A	76.00	-8.82	-18	186	203	203	185
1924	パナホーム	東証1部	建設業	N/A	N/A	N/A	+25.31	N/A	N/A	-2.11	N/A	69.47	-3.65	-20	528	548	558	525
1955	東電通	東証1部	建設業	N/A	N/A	N/A	+8.22	N/A	N/A	-2.24	N/A	74.71	-6.78	-16	220	238	239	220
1963	日揮	東証1部	建設業	N/A	N/A	N/A	+27.24	N/A	N/A	-1.63	N/A	74.51	-4.66	-44	900	934	939	872
1970	日立プラン...	東証1部	建設業	N/A	N/A	N/A	+17.36	N/A	N/A	-1.70	N/A	67.16	-3.15	-13	400	415	415	399
1973	NECシス...	東証1部	建設業	N/A	N/A	N/A	+8.36	N/A	N/A	-1.60	N/A	80.37	-3.45	-32	896	910	912	883
1988	ショーボン...	東証1部	建設業	N/A	N/A	N/A	+7.55	N/A	N/A	-1.68	N/A	88.14	-1.53	-9	580	588	588	568
2002	日清製粉...	東証1部	食料品	N/A	N/A	N/A	+33.86	N/A	N/A	-1.65	N/A	60.85	-1.57	-15	943	970	970	937
2004	昭和産業	東証1部	食料品	N/A	N/A	N/A	+20.45	N/A	N/A	-1.97	N/A	73.68	-2.16	-5	226	230	232	226
2051	日本農産...	東証1部	食料品	N/A	N/A	N/A	+14.29	N/A	N/A	-1.84	N/A	63.27	-3.11	-6	187	193	193	186
2264	森永乳業	東証1部	食料品	N/A	N/A	N/A	+17.50	N/A	N/A	-2.44	N/A	76.62	-5.31	-19	339	359	359	338
2267	ヤクルト本...	東証1部	食料品	N/A	N/A	N/A	+21.34	N/A	N/A	-2.05	N/A	81.09	-1.72	-26	1,482	1,507	1,511	1,469
2322	NECフィ...	東証1部	サービ...	N/A	N/A	N/A	+14.17	N/A	N/A	-2.00	N/A	89.29	-3.67	-110	2,890	2,995	3,000	2,800
2531	宝ホール...	東証1部	食料品	N/A	N/A	N/A	+23.49	N/A	N/A	-2.08	N/A	78.02	-4.87	-40	781	815	815	778

コ...	銘柄	市場	業種	乖離率	クロス	RCI	RSI	サイコロ	ストキャス	σ	VR	DMI	騰落率	前日比	終値	始値	高値	安値	出
6507	神鋼電機	東証1部	電気...	N/A	N/A	N/A	+17.65	N/A	N/A	-2.29	N/A	72.17	-7.87	-21	246	265	265	244	1,07
6508	明電舎	東証1部	電気...	N/A	N/A	N/A	+16.13	N/A	N/A	-2.29	N/A	92.94	-9.05	-21	211	227	227	209	97
6513	オリジン電...	東証1部	電気...	N/A	N/A	N/A	+22.79	N/A	N/A	-1.91	N/A	64.02	-6.11	-31	476	509	509	470	12
6517	デンヨー	東証1部	電気...	N/A	N/A	N/A	+24.62	N/A	N/A	-2.20	N/A	62.73	-1.29	-8	610	600	611	600	2
6519	エネサーブ	東証1部	電気...	N/A	N/A	N/A	+28.00	N/A	N/A	-2.74	N/A	61.62	-3.57	-140	3,780	3,900	3,920	3,780	8
6584	三桜工業	東証1部	輸送...	N/A	N/A	N/A	+14.06	N/A	N/A	-2.27	N/A	62.69	-3.30	-18	528	536	536	528	2
6644	大崎電気...	東証1部	電気...	N/A	N/A	N/A	+19.59	N/A	N/A	-2.91	N/A	62.39	-11.91	-68	503	571	571	499	12
6674	ジーエス・...	東証1部	電気...	N/A	N/A	N/A	+25.66	N/A	N/A	-2.28	N/A	73.17	-8.20	-20	224	234	239	224	93
6676	メルコホー...	東証1部	電気...	N/A	N/A	N/A	+18.84	N/A	N/A	-1.85	N/A	66.46	-3.57	-100	2,700	2,795	2,795	2,615	3
6703	沖電気工業	東証1部	電気...	N/A	N/A	N/A	+28.49	N/A	N/A	-1.54	N/A	61.97	-2.44	-10	399	414	417	397	5,39
6715	ナカヨ通信...	東証1部	電気...	N/A	N/A	N/A	+15.17	N/A	N/A	-1.75	N/A	63.98	-1.00	-4	397	405	411	387	16
6718	アイホン	東証1部	電気...	N/A	N/A	N/A	+21.24	N/A	N/A	-1.75	N/A	86.82	-1.78	-32	1,767	1,724	1,793	1,700	2
6724	セイコーエ...	東証1部	電気...	N/A	N/A	N/A	+21.48	N/A	N/A	-1.90	N/A	79.31	-3.18	-120	3,650	3,770	3,770	3,650	50
6737	ナナオ	東証1部	電気...	N/A	N/A	N/A	+13.16	N/A	N/A	-2.38	N/A	100...	-9.35	-290	2,810	3,030	3,100	2,750	49
6741	日本信号	東証1部	電気...	N/A	N/A	N/A	+16.16	N/A	N/A	-2.34	N/A	69.64	-7.65	-47	567	627	627	567	18
6744	能美防災	東証1部	電気...	N/A	N/A	N/A	+29.11	N/A	N/A	-2.09	N/A	67.74	-5.71	-30	495	514	524	491	2
6752	松下電器...	東証1部	電気...	N/A	N/A	N/A	+22.22	N/A	N/A	-1.87	N/A	80.07	-2.75	-41	1,452	1,490	1,503	1,450	6,72
6756	日立国際...	東証1部	電気...	N/A	N/A	N/A	+20.80	N/A	N/A	-2.07	N/A	66.55	-5.59	-42	710	742	749	705	43
6759	NEC トー...	東証1部	電気...	N/A	N/A	N/A	+10.97	N/A	N/A	-2.56	N/A	69.51	-7.53	-39	479	511	515	473	32
6765	ケンウッド	東証1部	電気...	N/A	N/A	N/A	+17.27	N/A	N/A	-2.53	N/A	71.64	-13.26	-35	229	259	260	225	4,99
6770	アルプス...	東証1部	電気...	N/A	N/A	N/A	+15.20	N/A	N/A	-1.80	N/A	68.04	-1.39	-19	1,347	1,386	1,386	1,345	1,96
6796	クラリオン	東証1部	電気...	N/A	N/A	N/A	+9.09	N/A	N/A	-2.37	N/A	79.49	-8.00	-14	161	175	176	160	4,29
6800	ヨコオ	東証1部	電気...	N/A	N/A	N/A	+20.39	N/A	N/A	-2.33	N/A	71.37	-6.48	-97	1,400	1,480	1,480	1,400	6
6801	東光	東証1部	電気...	N/A	N/A	N/A	+16.25	N/A	N/A	-2.03	N/A	98.35	-5.88	-21	336	342	345	327	83
6841	横河電機	東証1部	電気...	N/A	N/A	N/A	+21.47	N/A	N/A	-2.13	N/A	67.79	-5.08	-69	1,289	1,345	1,345	1,287	1,50
6844	新電元工業	東証1部	電気...	N/A	N/A	N/A	+11.58	N/A	N/A	-1.93	N/A	80.43	-3.80	-13	329	331	341	329	20
6845	山武	東証1部	電気...	N/A	N/A	N/A	+11.26	N/A	N/A	-2.01	N/A	76.97	-4.16	-40	922	942	961	922	30
6857	アドバンテ...	東証1部	電気...	N/A	N/A	N/A	+19.13	N/A	N/A	-2.17	N/A	67.51	-5.80	-440	7,140	7,460	7,460	7,070	1,14
6885	ミヤチテク...	東証1部	電気...	N/A	N/A	N/A	+23.51	N/A	N/A	-2.15	N/A	63.16	-4.82	-110	2,170	2,260	2,305	2,000	2
6915	千代田イン...	東証1部	電気...	N/A	N/A	N/A	+13.48	N/A	N/A	-1.99	N/A	86.21	-6.29	-195	2,905	3,140	3,140	2,880	3
6917	デンセイ・	東証1部	電気	N/A	N/A	N/A	+20.06	N/A	N/A	-2.03	N/A	95.92	-4.44	-38	817	850	850	802	2

V-2-1

Itickerは以下のURLからダウンロードできます。有料ですが試行期間があります。
http://homepage1.nifty.com/hdatelier/
このソフトの使い方はかなり難しく、安い会費のゆえにカスタマーサービスも良くありません。MM倶楽部のホームページにも使い方が解説されています。
http://www.mm-club.net

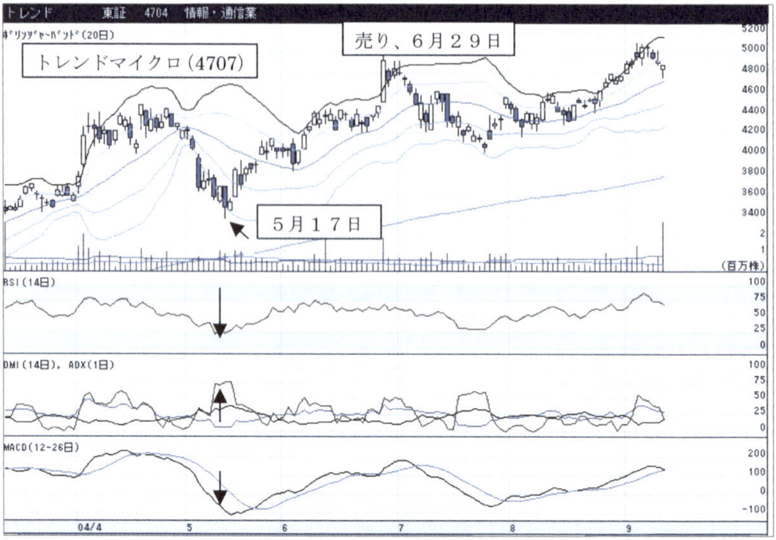
トレンド 東証 4704 情報・通信業
ﾎﾞﾘﾝｼﾞｬｰﾊﾞﾝﾄﾞ(20日)
トレンドマイクロ（4707）
売り、６月２９日
５月１７日
(百万株)
RSI(14日)
DMI(14日), ADX(1日)
MACD(12-26日)
04/4
5
6
7
8
9

V-3

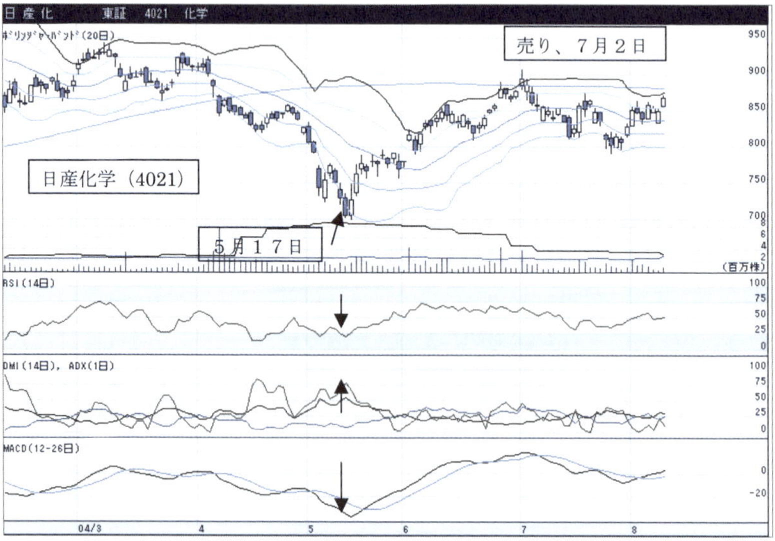
日 産 化 東証 4021 化学
ﾎﾞﾘﾝｼﾞｬｰﾊﾞﾝﾄﾞ(20日)
売り、７月２日
日産化学（4021）
５月１７日
(百万株)
RSI(14日)
DMI(14日), ADX(1日)
MACD(12-26日)
04/3
4
5
6
7
8

V-4

58）のチャートV-5に見ます。

図に示された買い場では、株価はボリンジャバンドの下に充分下がっています。RSIは25、MACDも低い位置で２本の乖離が明白で満足ですが、ADXは若干75に届きません、これは不満足です。つまり買い条件としてはパーフェクトでありません。しかしこれは買いました。少し上級者のテクニックが入っています。それは、ADX指標では満足しませんでしたが、MACDとシグナル線の乖離が大きく、買いだと判断しております。

2005年１月28日に買っております。売りは図においてAと示したところで３月28日です。このソニー株の売買は非常に利の乗った取引でした。それは買いで参入し、売って利益を出した直後に、今度カラ売りで利益を取っております。

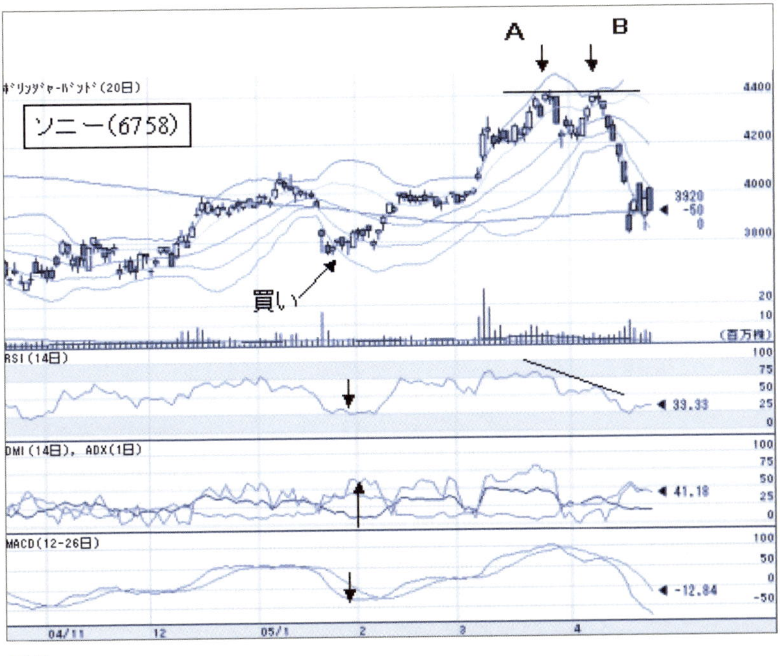

V-5

図でＢと示されたところは売ったレベルと同じ株価まで上昇しています。いわゆるＭトップを形成しております。相場のいわれで「２番天井は売れ」というのがありますが、MM法ではそのようないわれでなく、RSIの挙動を見ます。みると株価は最初の天井と同じ位置まで回復しておりますが、同じ日のRSIは下がりつつある状態です。これは株価は回復したが、いずれ下落するというように判断するのです。これはすでにRSIの項でご説明したように、RSIの逆行現象という高度な判断が働いております。

この株価の戻りは危険で、いずれ下がる可能性が高いと読みます。するとＢ点はカラ売りの点です。買い戻しは４月18日です。この日のローソク足は全体がボリンジャバンドの外にはみ出しており、他の指標より強い買い信号だと見て、このカラ売り銘柄を買い戻します。

つまり短期間に買いとカラ売りによって利益を複数回出すことが可能です。

本書ではカラ売りには触れておりません。あくまでもビギナー用として書いたためです。MM法の上級者用テクニックは数多くありますが、これらについては別途ご紹介する機会もあるかと思います。

あるいは、MM法を紹介するホームページを見ていただいても、詳細に述べています。

2 MM指数による買い場、売り場の判断

●MM指数の書く売買点シナリオ

以上は、MM指数が教える日経平均の天底ですばやく売買する方法ですが、ここではさらに易しい方法をご紹介します。

このMM指数を上手く運用すると、いわゆる相場の波の中での買い場、売り場を知ることができるのです。この技術は本書で初めて公開する手法ですが、運用してみて自信を持ってお勧めできます。しかし、絶対のものでないことをご承知ください。

言うまでもなく、相場によってはどの銘柄を買っても成功し、また別の相場ではどの銘柄を売っても成功するということはありえません。しかし、MM法が逆張りを禁ずるように、この相場付きの時には買いが主役ですよ、また別のこの相場付きの時には新規売りは

成功する確率は高いですが、買いは無理ですよ、というシナリオが書けるとよいと思うのです。それはMM指数によって可能です。

次に示すV-6図はMM指数ですが、株価が下落して底に近づいた時、【＋MMI】（青線）がピークを過ぎて下落してきた【－MMI】（点線）を下から抜きます、つまりMMIのゴールデンクロスが実現しますが、その時から買い領域だとします。

反対に、MMIがデッドクロスするときから売り領域に入ったと考えるのです。デッドクロスとは、【＋MMI】が下落して来たのを【－MMI】が下から抜いたときです。

図でこれを説明します。

図ではゴールデンクロスしたところは実線縦線で、またデッドクロスしたところは点線縦線で示してあります。共に説明したように、ＭＭＩがクロスしたところです。たとえば図で示す期間では、2003年12月16日に買い領域に入り、2004年1月27日に売り領域、同2

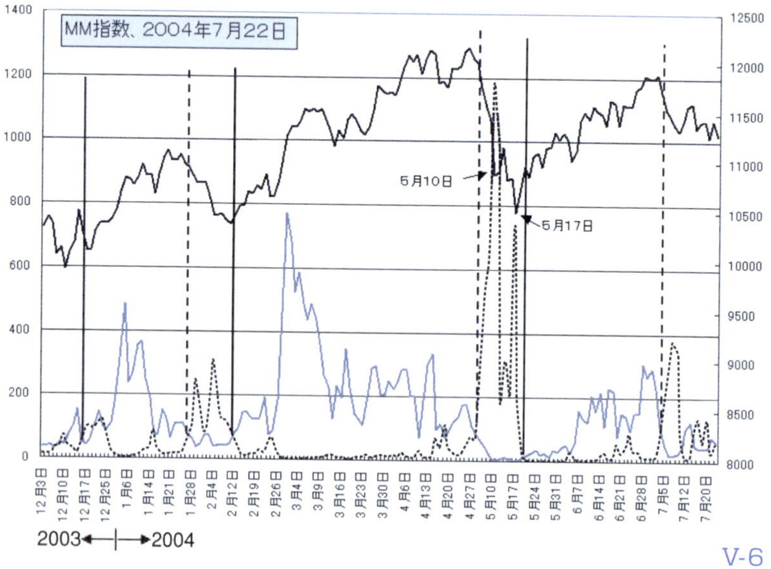

V-6

月12日に買い領域、同４月28日に売り領域、同５月19日に買い領域、同７月５日に売り領域に入っています。

売買ともに成功率の高いのは、それぞれの領域に入った直後ですが、５月17日はこの５月19日からの買い領域に入る直前です。５月17日の買いは成功率が最高の位置ですが、５月19日でも非常に高い成功率を示しております

ご注意したように、たとえば日経平均値で買い領域に入ったからと言って、どの銘柄でも買って成功するわけではありません。しかし、成功する確率が高いと言わざるをえません。

私たちシニア個人投資家は、のべつまくなく売買を繰り返すのでなく、買うべきときは買うという姿勢を貫くことが必要です。本書はビギナー用ですので、カラ売り（新規売り）は強調しませんが、この図によると、最近の相場ではカラ売りの成功する領域は、買い領域に比べて極めて狭いというのが判ります。これは相場全体が緩やかに上昇しているせいでしょう。

3 より確実な売買銘柄の検索

●ヤフー・レーティングとItickerでふるいにかける

本書はシニアの株取引の入門書ですので、MM法でも初心者から上級者まで数段階あるうち、上級者用の詳細を記述するのは目的ではありません。しかし、3,000銘柄以上ある中から、どのような方法でMM法の4つの条件を満足する銘柄が選択されるのかの検索方法をご紹介しておきます。

すでに紹介したMM法の売買条件による銘柄の絞り込みの実際を具体的に示します。

まず各種条件によってどのような段階的絞り込みが行われるかを示します。

V-7図は東証一部1513銘柄に、Yahoo　Ratingの売買銘柄のラ

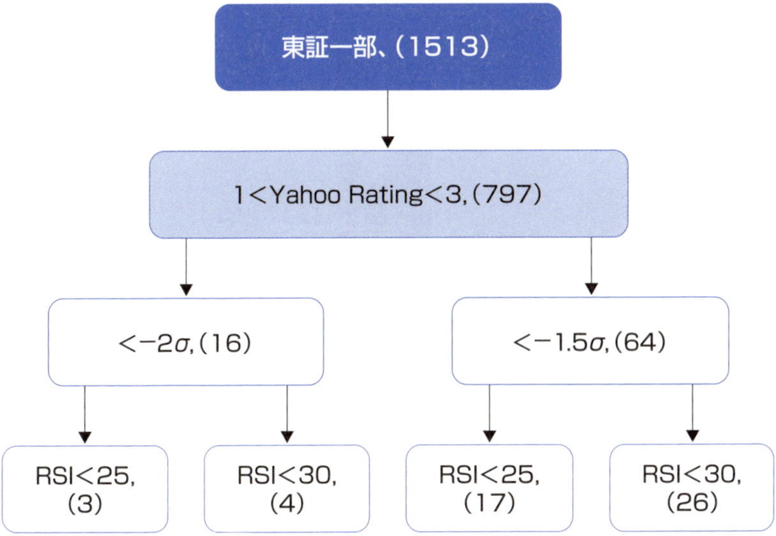

V-7

ンキングでフィルターしたものです。すると797銘柄まで選択されます。

Yahoo Ratingとは、Yahooが複数のアナリストの平均的な評価によって、銘柄の評価を1から5までランキングをつけたものです。1は買いの最上値、5は最低値、つまり売りの最上位、3は中立です。したがって1から3とは、アナリストの平均的な評価が買いというものです。以下のHPで見ることができます。

http://charge.quote.yahoo.co.jp/

そこで、このインターネットホームページによって「ヤフー・レーティングとは」をまず選択します。

ヤフーファイナンスを開きますと調べたい銘柄のコードを入れる箇所があり、入力すると次の画面に変わり、その画面の〔リサーチ〕を選択すると、さらにV-8図のような画面となり、この黒印のところがヤフーレーティングの数値です。その意味も同時に示してあり

リサーチ－日産自動車(株)(7201)　　更新日 2005年2月16日

関連情報：株価｜チャート｜ニュース｜企業情報｜リサーチ｜掲示板

リサーチ要旨

レーティング(社数):	
強気	6
やや強気	7
中立	7
やや弱気	0
弱気	0

レーティング平均値 (強気) 1.00 - 5.00 (弱気)	
今週	**2.05**
先週	2.05
前週比	0%

1株当り利益(EPS)		
実績	2004年3月31日	122.02
対予想比		3.67 %
市場予想		
今期	(2005年3月31日)	124.75
来期	(2006年3月31日)	131.50

予想利益・レーティング

日本円の一株当り利益	今期 (2005年3月31日)	来期 (2006年3月31日)
予想EPS		
コンセンサスEPS	124.75	131.50
社数	22	21
最低予想	109.89	110.30
最高予想	134.80	150.00
前期時点での予想	126.35	136.70
EPS成長率(%)	2.24	5.41
コンセンサス推移		

推移(数字は何か月前かを表す)

レーティング(社数):	0	1	2	3
強気	6	6	6	6
やや強気	7	7	7	7
中立	7	7	7	7
やや弱気	0	0	0	0
弱気	0	0	0	0
平均*	2.05	2.05	2.05	2.05

* (強気) 1.00 - 5.00 (弱気)

V-8

ます。

図では日産自動車のレーティング平均値を示しています。５段階あるレーティングで強気が６社、やや強気が７社、中立が７社あり、それ以下の評価はありません。これの総合的な平均値が示されているように2.05です。MM法では１から３までが検索上の買いのレーティングとしていますので、2.05はよく評価されている数値です。ためしに、同業種のトヨタ（7203）は2.11で、ソニー（6758）は3.10です。2005年５月現在では、ソニーは買い領域には入っておりません。

具体的な銘柄の絞り込みは前出のIticker を用います。

V-９図はItickerのトップページです。まず丸印を選択して開くと、次のV-10図が出ますが、これに東証一部とYAHOOレーティングを入れます。検索すると下欄に一覧が出ます。

検索銘柄数が前記の図表と異なるのは、測定時期の違いによるものです。これをボードに示します。

すると東証一部1,513の銘柄のうちYAHOOレーティングによる797銘柄が買いの対象となります。これはあくまでもファンダメンタル分析によるものです。

さらにボリンジャバンドの最低点、－２σより低い株価という条件を入れると16まで絞られ、さらにRSIで厳しく絞ると３銘柄になります。他はそれぞれ条件を緩めたときのものです。

この検索は最も簡略化したものですが、実際にはさらに厳密に検索します。

●検索のあとにチャートで精査

このように、多くの市場銘柄から条件によってフィルターをかけると、少数の候補銘柄が出てきます。しかし、これらにすぐに買いを入れるわけではありません。先に述べたように、そのときの相場

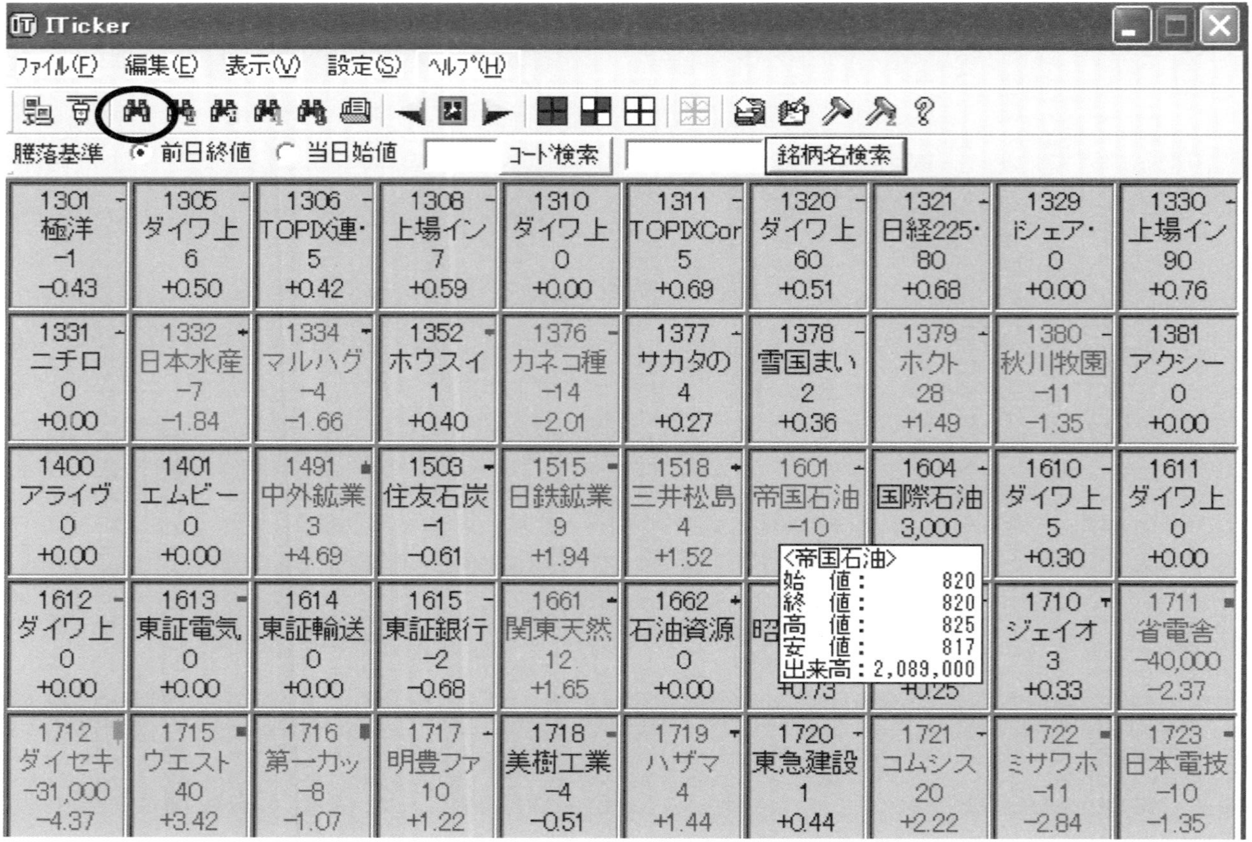
ITicker
ファイル(F) 編集(E) 表示(V) 設定(S) ヘルプ(H)
騰落基準 前日終値 当日始値 コード検索 銘柄名検索
1301 極洋 −1 −0.43
1305 ダイワ上 6 +0.50
1306 TOPIX連・ 5 +0.42
1308 上場イン 7 +0.59
1310 ダイワ上 0 +0.00
1311 TOPIXCor 5 +0.69
1320 ダイワ上 60 +0.51
1321 日経225・ 80 +0.68
1329 iシェア・ 0 +0.00
1330 上場イン 90 +0.76
1331 ニチロ 0 +0.00
1332 日本水産 −7 −1.84
1334 マルハグ −4 −1.66
1352 ホウスイ 1 +0.40
1376 カネコ種 −14 −2.01
1377 サカタの 4 +0.27
1378 雪国まい 2 +0.36
1379 ホクト 28 +1.49
1380 秋川牧園 −11 −1.35
1381 アクシー 0 +0.00
1400 アライヴ 0 +0.00
1401 エムビー 0 +0.00
1491 中外鉱業 3 +4.69
1503 住友石炭 −1 −0.61
1515 日鉄鉱業 9 +1.94
1518 三井松島 4 +1.52
1601 帝国石油 −10
1604 国際石油 3,000
1610 ダイワ上 5 +0.30
1611 ダイワ上 0 +0.00
1612 ダイワ上 0 +0.00
1613 東証電気 0 +0.00
1614 東証輸送 0 +0.00
1615 東証銀行 −2 −0.68
1661 関東天然 12 +1.65
1662 石油資源 0 +0.00
昭 +0.73
+0.25
1710 ジェイオ 3 +0.33
1711 省電舎 −40,000 −2.37
1712 ダイセキ −31,000 −4.37
1715 ウエスト 40 +3.42
1716 第一カッ −8 −1.07
1717 明豊ファ 10 +1.22
1718 美樹工業 −4 −0.51
1719 ハザマ 4 +1.44
1720 東急建設 1 +0.44
1721 コムシス 20 +2.22
1722 ミサワホ −11 −2.84
1723 日本電技 −10 −1.35
<帝国石油>
始　値： 820
終　値： 820
高　値： 825
安　値： 817
出来高：2,089,000

V-9

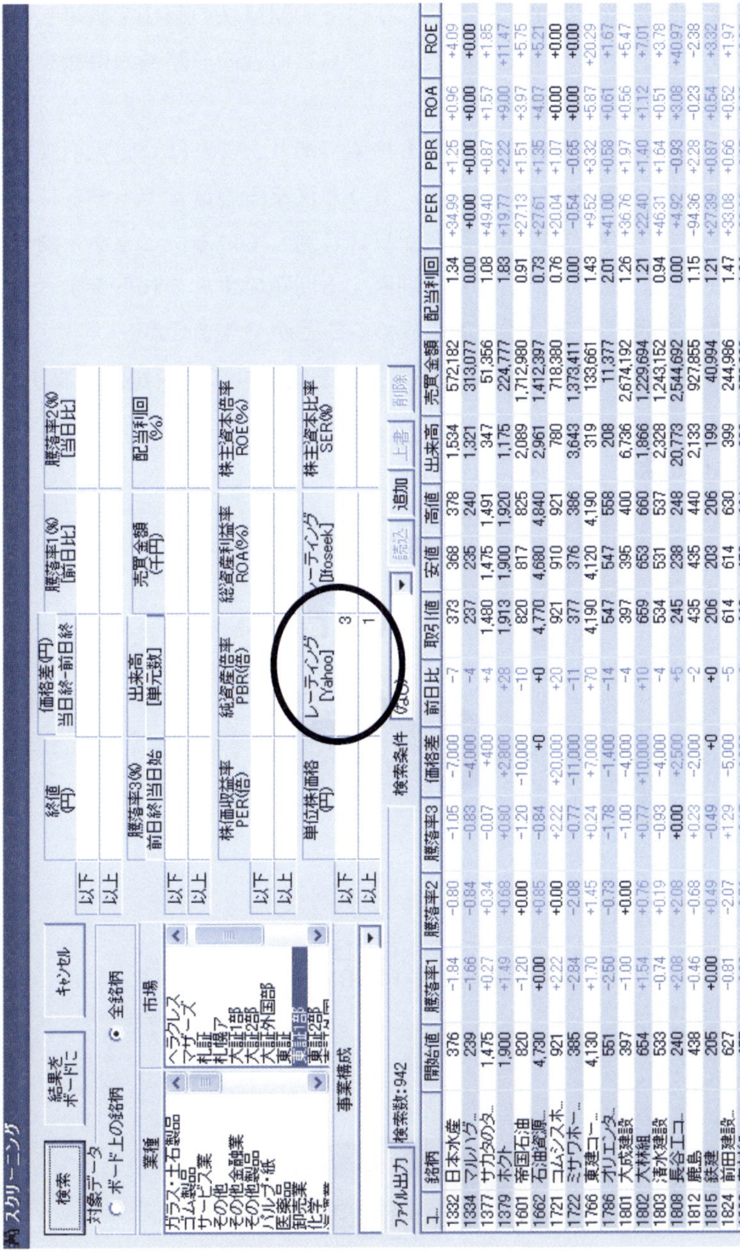
スクリーニング
検索
結果をボードに
キャンセル
対象データ
ボード上の銘柄
全銘柄
業種
市場
ガラス・土石製品
ゴム製品
サービス業
その他
その他金融業
その他製品
パルプ・紙
医薬品
卸売業
化学
ヘラクレス
マザーズ
札証
札幌ア
大証1部
大証2部
大証外国部
東証
東証1部
東証2部
事業構成
以下
以上
終値(円)
価格差(円) 当日終-前日終
騰落率1(%)[前日比]
騰落率2(%)[当日比]
騰落率3(%)[前日終|当日始]
出来高[単元数]
売買金額(千円)
配当利回(%)
株価収益率PER(倍)
純資産倍率PBR(倍)
総資産利益率ROA(%)
株主資本倍率ROE(%)
単位株価格(円)
レーティング[Yahoo] 3 1
レーティング[Infoseek]
株主資本比率SER(%)
検索条件
読込
追加
上書
削除
ファイル出力
検索数:942
コ… 銘柄 開始値 騰落率1 騰落率2 騰落率3 価格差 前日比 取引値 安値 高値 出来高 売買金額 配当利回 PER PBR ROA ROE
1332 日本水産 376 -1.84 -0.80 -1.05 -7,000 -7 373 368 378 1,534 572,182 1.34 +34.99 +1.25 +0.96 +4.09
1334 マルハグ… 239 -1.66 -0.84 -0.83 -4,000 -4 237 235 240 1,321 313,077 0.00 +0.00 +0.00 +0.00 +0.00
1377 サカタのタ… 1,475 +0.27 +0.34 -0.07 +400 +4 1,480 1,475 1,491 347 51,356 1.08 +49.40 +0.87 +1.57 +1.85
1379 ホクト 1,900 +1.49 +0.68 +0.80 +2,800 +28 1,913 1,900 1,920 1,175 224,777 1.83 +19.77 +2.22 +9.00 +11.47
1601 帝国石油 820 -1.20 +0.00 -1.20 -10,000 -10 820 817 825 2,089 1,712,980 0.91 +27.13 +1.51 +3.97 +5.75
1662 石油資源… 4,730 +0.00 +0.85 -0.84 +0 +0 4,770 4,680 4,840 2,961 1,412,397 0.73 +27.61 +1.35 +4.07 +5.21
1721 コムシスホ… 921 +2.22 +0.00 +2.22 +20,000 +20 921 910 921 780 718,380 0.76 +20.04 +1.07 +0.00 +0.00
1722 ミサワホー… 385 -2.84 -2.08 -0.77 -11,000 -11 377 376 386 3,643 1,373,411 0.00 -0.54 -0.65 +0.00 +0.00
1766 東建コー… 4,130 +1.70 +1.45 +0.24 +7,000 +70 4,190 4,120 4,190 319 133,661 1.43 +9.52 +3.32 +5.87 +20.29
1786 オリエンタ… 551 -2.50 -0.73 -1.78 -1,400 -14 547 547 558 208 11,377 2.01 +41.00 +0.58 +0.61 +1.67
1801 大成建設 397 -1.00 +0.00 -1.00 -4,000 -4 397 395 400 6,736 2,674,192 1.26 +36.76 +1.97 +0.56 +5.47
1802 大林組 654 +1.54 +0.76 +0.77 +10,000 +10 659 653 660 1,866 1,229,694 1.21 +22.40 +1.40 +1.12 +7.01
1803 清水建設 533 -0.74 +0.19 -0.93 -4,000 -4 534 531 537 2,328 1,243,152 0.94 +46.31 +1.64 +0.51 +3.78
1808 長谷工コ… 240 +2.08 +2.08 +0.00 +2,500 +5 245 238 248 20,773 2,544,692 0.00 +4.92 -0.93 +3.08 +40.97
1812 鹿島 438 -0.46 -0.68 +0.23 -2,000 -2 435 435 440 2,133 927,855 1.15 -94.36 +2.28 -0.23 -2.38
1815 鉄建 205 +0.00 +0.49 -0.49 +0 +0 206 203 206 199 40,994 1.21 +27.39 +0.87 +0.54 +3.32
1824 前田建設 627 -0.81 -2.07 +1.29 -5,000 -5 614 614 630 399 244,986 1.47 +33.08 +0.66 +0.52 +1.97
1833 奥村組 655 +0.92 +0.76 +0.15 +6,000 +6 660 652 664 393 259,380 1.36 +38.66 +0.87 +0.90 +2.33

V-10

環境をMM指数で判断し、さらにすべてのMM法の条件を満足したかどうかを、チャート上で精査し、さらに直近の当銘柄の情報を読み、慎重に買いを入れます。

このように、検索はあくまでも検索であり、これは買い銘柄候補の検索で買い銘柄とは違います。買うと決まるのは、チャートによる精査と、そのときの相場環境が買いに適しているかどうかを調べてからです。つまりMM指数で判断する問題です。これらをすべてクリアしなければ高い成功率を収めることができません。

先に述べたように、一般に個人投資家はマニュアルが好きです。

MM法の流れ

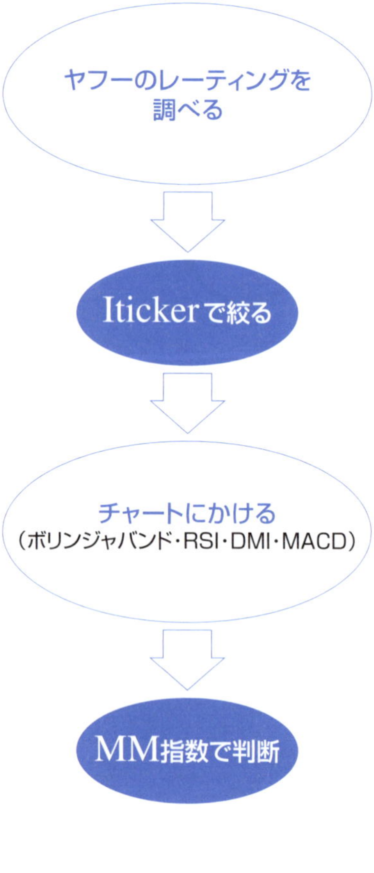

ある規則通りにすればすべてがうまく行くものと信じている傾向にあります。そのようなものが世の中にあるのも事実です。しかし、株式は全投資家の心理、それが相場を決定します。それを概括的にある指数に集約して、しかも上場企業3,000数社以上ある中からピンポイントで検索し、それがすべて成功するなどは常識的にはありえないことです。いくらトヨタ自動車が世界に冠たるものと報道されても、トヨタの弱点に危惧を持つ一部の投資家がおり、さらに評判が大きく伝染し巨大投資家集団の思惑となってしまったら、どんな好業績も役には立ちません。

そのような環境の中で、これなら誰がやっても平均的に高い効率で取引ができると信じた手法を守るのです。私にとってはそれがMM法なのです。

しかし、MM法は一部の上級者あるいは豊富な経験を持つ投資家のものではありません。そのような方は、自分なりの手法をすでにお持ちでしょう。いまさら迷うことはありません。しかし、どうしても上手くいかない、退職金も相当使い込んだ。こんな方がMM法によってやっと蟻地獄から這い上がったと喜ばれるのを見るにつけ、おせっかいにもこのような本を出版するのです。

4 個人投資家が守るべき十戒

●テクニカル手法を安易に考えない

以上シニア個人投資家には、テクニカル分析による短期売買が適し、これにMM法が最もマッチしているのではとご紹介しました。さらにMM法での運用の間違いを避ける意味においても、MM指数を紹介し、相場を読みながら危険領域を避け、安全に成功を収める手法を紹介しました。

本書原稿を書き出した初期には、もっと平易に、もっと気楽に行こうと思っておりましたが、やはり投資の危険を避けたいという思いがあって、少しMM法の進んだ領域にまで入ったようです。

しかし、何度も強調するように、私がセミナーなどを始めて個人投資家に接するようになってから受けた衝撃は大きいものがあります。それはテクニカル手法というものを、安易に理解しているという点です。それは危険すぎるほどです。

個人投資家、特にシニアが株の売買をするときは、完全なる成功を狙う以外にないのです。これは資産を失うかどうかの真剣勝負ですから。私が言う完全な成功とは、利益が常にプラスに出るということです。何円儲けるという話ではありません。したがって、個々の売買では負けることもあるでしょう、しかし統合的に勝ちたいのです。

●自分への戒め

ＭＭ法という武器を個人投資家に紹介して、その成功、不成功をかなりな時間見てきました。この中から抽出できた結論は、大事なのは精神論ではないが技術のみでもないということです。いくら切れのよい武器を持っても、所詮は使う人の腕であり、立ち会いの気合いです。精神論は私も好きではありませんが、最終的には株取引をどう理解しているかということであり、それにどう対処するかです。そこで、自分用に、自己規制用にと編み出した十戒を紹介させていただきます。言うまでもなく当たり前のことばかりです。

私はこの戒めを、自分のトレードする部屋の壁に貼り付けております。

「このようなものが必要だとは、株取引もなかなかうるさいな」と言われるようでは困りますが、私のセミナーに来られる多数のシニアの方にもお知らせしており、後日「なるほどと思うようになり感謝しております」というお知らせをいただくと嬉しいものです。

簡単にご説明します。

１番目のストップロスとは、買いの場合自分の思惑に反して株価が下落し、またカラ売りの時には株価が上昇し、共に損を出したと

私の十戒

1) 買うと同時にこれだけ下がったら売るというストップロスを設定しておく
2) 優良企業でも「減益」が発表されたらすぐに売る
3) 株価が反転する傾向にある9時30分に気をつける
4) 無駄な売買を仕掛けず待つのも取引のうち
5) 失敗を忘れないために日記をつける
6) 体調の悪いときはやらない。風引きでも。
7) 一発勝負を狙う「男の美学」にこだわるな
8) どんなに好きな会社でも銘柄に惚れるな
9) おびえてトレードするな
10) 感情を廃してロボットになる

き、あるレベルでポジションから脱出するテクニックです。買っておれば損を覚悟で売り、売っておれば損を覚悟で買い戻すというものです。

他人の資金を運用するプロは多用しますが、自己資金をかける個人はなかなか精神的にもつらいものです。「この銘柄はここまで調査して買ったのだから自信がある。この下げは一時的なものですぐに回復する」と信じるのは当然です。だが、その後株価は上がるどころか、ずるずると下がり地獄まで落ち込むのです。個人投資家は大なり小なりこのような経験を持っておられると思います。これをどう乗り切るかが個人投資家が成功するかどうかの分かれ道になります。

２番目のものは、どんなに優秀な、また惚れた銘柄でも減益発表を知ると直ちに切れ、というものです。

実例として、電機株の人気者ソニー（6758）を見ましょう（V-11参照）。長期のチャートには、一般的な日足というものより、ひと月を１本のローソク足で表現する月足を使用します。これを見るとソニーの株は2002年３月には、なんと33,900円の株価を示しています。

今日現在、ソニーの株価は4,000円にもならず投資家はやきもきするのです。これは恐ろしいほどの下げであり、株式の怖さを如実に示しています。このソニーの株は３万円台からの下げの途上で１万円の壁の問題がありました。１万円近傍で１年以上も停滞しているのです。投資家は皆、ソニーのような優れた企業の株式が、１万円以下になるはずがないという感情の結果です。その時点で買われた個人投資家は数知れずです。私もそのような方と何度かお目にかかっています。「まさかソニーがねえ」と自嘲気味に言われます。

つまり十戒で述べるのはこのことなのです。

３番目の戒めは「９時半に気をつけろ」ということですが、ビギナーの方はあまり関心を示さないものです。

よくあることですが、ある日の相場が引けたときに（午後３時過ぎ）人気のある企業の業績が発表されます。場中で発表すると混乱を起こすという配慮からでしょう。この情報はインターネットでも、また明くる日の日経新聞朝刊にも掲載されますので、個人投資家はその情報を取ることができます。もし、これがよい材料であると、他人が日経新聞を読む前に仕込んでおきたいと寄り付き（９時）から飛びつくのです。すると株価は窓を開けて上昇します。しかし、真の投資家は、プロもアマもこの時間帯は冷静に見ています。実はプロたちは記事発表前にすでに知っていると思います。

ソニーのチャート（月足）

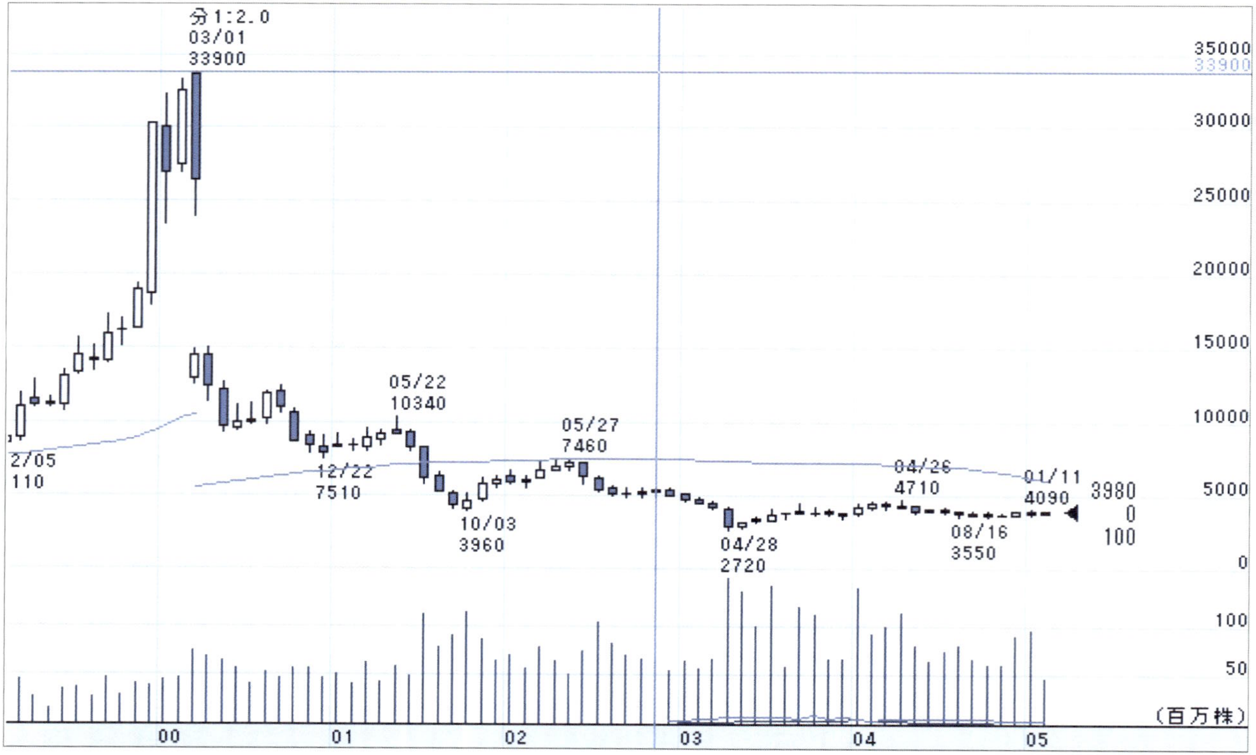

V-11

反対に悪い材料の場合には、明くる日の寄り付きに株価は大きく下げます。もちろんすでに当銘柄を持っている投資家は当銘柄の将来に不安を持ちますので、持ち株全部を売りたいわけですから、寄り付きで大きく株価が下落するのは当然です。冷静な投資家も、あまりにも下げが大きいので、びっくりして狼狽売りをしそうになりますが、ここはぐっと我慢するのです。

9時半から10時頃まで待つと不思議に株価は上がり始めます。そこで決済すれば損をするにも、被害を小さくできます。

つまり個人投資家は9時半の時間帯には気をつけろということです。ここでも個人投資家はすぐに、「では9時40分は？」などと言うのです。そんなものではありません。万感を込めて「9時半には気をつけろ」と自分に言い聞かせたいのです。

V-12は2005年4月7日のものですが、前日に液晶関係に好材料が現れ、関連銘柄として日東電工、シャープと共に値を上げたJSR（4185）のものです。

この日の5分足、つまり5分間だけの株価の変動をローソク足に

V-12 JSRのチャート

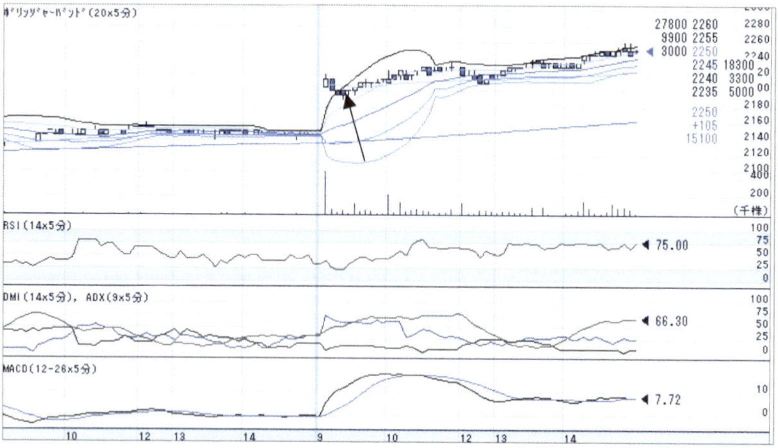

V-13 JSRのチャート（5分足）

して、それをチャート化したものもV-13に示します。

すると9時半ルールが理解できると思います。

矢印したところは正確には9時半ではありませんが、非常に近い時刻です。そこで買いを入れると、他の時間で買いを入れるよりは上手く参入できるのが判ります。

株取引というのは、欲しい銘柄があっても直ちに手を伸ばして買うものではありません。手を伸ばすとは、欲しくてたまらないものをこちらから手を伸ばして手に入れるという感覚です。むしろ向こうから「安くするから買っておいて」と言われて買う感覚が必要です。つまりひきつけて買うのです。この感覚はご経験と共に深まるでしょう。

4番目は、「待つのも取引のうち」、というものです。

株の変動は、年間を通して大きく変動し利益を取りやすい時期は非常に少なく、80％以上はどちらともつかないような相場が連続します。もちろん小さくは上下をしますので、経験の深い投資家はこのリップル（小さな波）をうまく利用して利益を上げます。しかし、ビギナーがこれを真似て取引をすると、必ずワナに落ち込みます。ビギナーは待つのです、良い機会が来るのを辛抱強く待つのです。これを「待つのも取引のうち」といって、軽挙に取引するのを戒めているのです。先の本間宗久伝の紹介にも書きました。

V-14図は2004年の日経平均のものです。日経平均は株ではありませんので売買できませんが、仮想的に売買する練習をしてみます。買い、売りと書かれた時点は、MM法ではルール通りの売買点です。買い点はMM条件を満足しておりますし、売り点はボリンジャバンドの＋2σ近傍で、MACDが売り信号を出しています。

これ以外にもリップルを見ることができますが、それらを売買して利益を取るのは難しいものです。したがって個人投資家はこのようなリップルの出現時期には休むのです。また当然ながらこのような点では売買のMM条件は出現しておりません。

V-14 2004年の日経平均

すると、ビギナーがMM法を用いるなら図示されたこの２点以外は手を出さないことです。買える銘柄は他にいくらでもあります。よい条件のものだけを買うのです。

第５番目の日記をつけるのは大変重要です。

各銘柄はその株価の動きに銘柄独特の特性があります。本書の目的はテクニカル分析による株式の売買ですので、テクニカルにはそんな個々の銘柄特性など無視できるのでは、という気持ちも判ります。その詳細はまたの機会としたいのですが、しかし、「この銘柄は以前成功したが、どのようにして成功したのか」、これが肝心です。経験とは取引に携わった年月を言うより、どの程度真剣にやったかが経験です。これは日記をつけることによってますます深まるものです。

６番目の「体調の悪いときは取引をしない」という戒めも大変重要です。

風邪引きのとき、頭の痛いとき、このようなときに自己資金を賭ける勇気と根気は出ません。「まーいいか」これが命取りになること

はしばしばです。先に述べた損切りをする局面でも冷静に勇気を奮うことができるかどうかです。

わが国に輸入され、好きと嫌いにかかわらず運用せざるをえなくなった市場原理は、「強欲は美徳だ、greed is right」というものです。日本の風土に合いません。しかし、これが今日の株取引を行う土俵であり、弱肉強食の論理が支配する世界です。それを理解する健康な体力と精神が必要です。

手術台の上で売買を考えることはないでしょうが、風邪引きくらいと思うのは禁物です。つまり万全の健康状態が望ましいです。シニアは特に気をつけたいものです。

7番目の男気をだして、一発にかけるのは男らしいと思うのでしょうが、私に言わせると「最も愚かな行為だ」と言いたいのです。

株取引はお遊びではありません。また趣味でもありません。「利益を積み重ねる」この一事に尽きます。個人投資家の失敗は、家族も引き込み地獄を見ます。その実例は山ほど見ております。一発を賭けたが故の実例を書きましょう。

私はあるとき株取引の指南役であった人から「あなたのやっているのはチマチマして夢がないな」と言われました。「男のくせに」という意味をちらつかせました。しかし、しばらくすると彼の姿が見えなくなりました。家族と共に家を売り払い転居したのです。当時人気のあったIT銘柄に大きく手を出し、暴落と共に姿を消したのです。これが株取引の世界です。若者ならいいでしょう。回復可能です。ですがシニアにその可能性があるでしょうか。注意しましょう。

第8番目は銘柄に惚れるなという戒めです。

ある銘柄の株価を動かす原動力は人気です。当該企業の良し悪し

はもちろんですが、それだけではありません。いくら世界のトヨタでも、また薬品の頂点にある武田薬品でも、つまりいくら業績が立派で企業としても文句のつけようのない銘柄でも、人気がなければその株価は低迷します。ある人は「美人投票のようだ」と言ったようですが、まさしくそういうものです。企業に惚れてはなりません。美人投票の観客席から見て、いくら２番目の子が最も美人だと言っても、５番目の彼女が女王になって王冠を受ける。株はまさしくその通りです。

９番目はおびえてトレードをするなという戒めです。

株式はいくら科学的に分析し、理論的な背景のもとに行っても失敗することはあります。自分の思惑通りにはいかないのです。すると自信を喪失し、怖くて手も足も出ないという気持ちになることがあります。

しかし、経験を積んだ末の研究と調査によって「これなら」と感ずるものがあれば仕込むのです。勇気が要ります。他人の言うことをその通りにするのは勇気が要りません。多分証券会社の店頭を訪れて銘柄相談をするのはそのような心理でしょう。失敗してもそれを他人のせいにできますから。しかし、これが資産を失う近道だと言いました。成功するには自分の才覚で、自分を信じて行う以外に方法はないのです。すると常におびえていてはトレードができません。勇気を持つのも必要です。蛮勇ではありません。

10番目はロボットになれという戒めです。

言うまでもなく、人間の心理は複雑です。いくら冷静な人でも金が絡む株式には過剰反応します。株価の変動も買い方、売り方の投資家の心理を反映します。あなたが買い方なら売り方の心理を読む。売り方なら買い方の心理を読む。これは正論です。さらにいろいろな情報が入ってきます。「そんな株よりこの方が良いのでは」と友人がささやく。これも大いに気持ちを揺さぶります。このなかで冷静に判断を行うにはロボットになるのです。

著者紹介

増田正美

（ますだ・まさよし）

1927年生まれ、大阪大学理学部卒。理学博士。高エネルギー物理学研究所名誉教授。元東京工業大学教授。超伝導によるエネルギー貯蔵の研究に多大な功績を残す。定年後、独学で独自の株の投資法〈MM法〉を編み出す。ゴルフは著書もあるほどのベテラン。著書に『定年後の株、小さく儲け続ける必勝法』(亜紀書房)『六十にして株を知る』(毎日新聞社) 『40歳からの1日10分間科学的「株」投資法』などがある。

あなたの年金が倍、倍に！

ネットで勝ち抜く株投資法

2005年10月21日　第1版第1刷発行
2015年 1 月 9 日　第1版第3刷発行

著者　増田正美

発行所　株式会社亜紀書房
郵便番号101-0051
東京都千代田区神田神保町1-32
電話……(03)5280-0261
http://www.akishobo.com
振替　00100-9-144037

印刷　株式会社トライ
http://www.try-sky.com

カバー・本文イラスト／江尻良行

装丁／鈴木俊秀 [FIRE DRAGON]

ISBN4-7505-0512-9　C0033　¥1700E